Jo Nesbø

Soleil de nuit

Du sang sur la glace, II

Traduit du norvégien
par Céline Romand-Monnier

GW00750460

Gallimard

Titre original :

MIDNIGHT SUN [BLOOD ON SNOW 2 : MORE BLOOD]

© *Jo Nesbø, 2015.*
Published by agreement with Salomonsson Agency.
© *Éditions Gallimard, 2016, pour la traduction française.*

Ancien footballeur, musicien, auteur interprète et économiste, Jo Nesbø est né à Oslo en 1960. Il a été propulsé en France sur la scène littéraire avec *L'homme chauve-souris*, sacré en 1998 meilleur roman policier nordique de l'année. Il a depuis confirmé son talent en poursuivant sa série consacrée à Harry Hole. Il est également l'auteur de *Chasseurs de têtes*, *Du sang sur la glace*, *Le fils* et *Soleil de nuit*.

1

Par où commencer ce récit ? J'aurais voulu pouvoir dire par le début. Mais je ne sais pas où est le début. Pas plus que quiconque je ne connais les *véritables* liens de causalité de ma propre vie.

Dois-je commencer quand j'ai compris que je n'étais que le quatrième meilleur footballeur de ma classe ? Quand Basse, mon grand-père, m'a montré ses dessins – ses dessins à lui – de la Sagrada Familia ? Quand j'ai tiré ma première bouffée de cigarette et entendu ma première chanson du Grateful Dead ? Quand j'ai étudié Kant à la fac et cru que j'avais compris ? Quand j'ai vendu ma première barrette de haschich ? Ou bien les choses ont-elles commencé quand j'ai embrassé Bobby – qui en l'occurrence est une fille – ou encore la première fois que j'ai eu en face de moi le petit être fripé qui hurlait à pleins poumons et qui allait recevoir le nom d'Anna ? À moins que ce n'ait été dans l'arrière-boutique du Pêcheur quand il m'a expliqué ce qu'il voulait que je fasse ? Je ne sais pas. On se fabrique des histoires avec une tête et une queue, une logique inventée, pour que la vie puisse sembler avoir un sens.

Alors autant commencer ici, en pleine confusion, à un endroit où le destin paraît marquer un instant de pause, retenir son souffle. À un moment où je songeai une seconde que j'étais en route, et pourtant arrivé.

Je descendis de l'autocar au milieu de la nuit. Plissai les paupières face au soleil. Il lambinait au nord, au-dessus d'une île. Rouge, éteint. Comme moi. Derrière lui, encore de l'eau. Et ensuite, le pôle Nord. Peut-être était-ce là un lieu où ils ne me trouveraient pas.

Je regardai autour de moi. Dans les trois autres directions descendaient vers moi des collines basses. Bruyères rouges et vertes, rochers et deux ou trois bouquets de petits bouleaux. À l'est, le continent, rocheux et plat, s'écoulait dans la mer ; au sud-ouest il semblait tranché au couperet là où commençaient les flots. Environ cent mètres au-dessus de la mer d'huile naissait un plateau, un paysage ouvert qui s'étirait vers l'intérieur. Le Finnmarksvidda. Le trait, comme disait mon grand-père, s'arrêtait là.

Le chemin de terre menait à un groupe de maisons. La seule chose qui dépassait un tant soit peu était le clocher de l'église. Je m'étais réveillé sur mon siège au moment où nous dépassions, à côté d'un ponton en bois, un panneau avec l'inscription KÅSUND. J'avais pensé «pourquoi pas?» et tiré sur le cordon au-dessus de la fenêtre pour allumer le signal d'arrêt au-dessus du chauffeur.

10

J'enfilai ma veste de costume, attrapai mon sac en cuir et me mis à marcher. Dans la poche de ma veste, le pistolet battait contre ma hanche. Directement sur l'os. J'avais toujours été trop maigre. Je m'arrêtai pour abaisser la ceinture-portefeuille sous ma chemise afin d'amortir les coups avec les billets.

Le ciel était sans nuage et l'air si limpide que j'avais le sentiment de voir loin. Aussi loin que les yeux peuvent voir, comme on dit. Il paraît que le Finnmarksvidda est beau. Je n'en sais rien. N'est-ce pas ce qu'on a coutume de dire des endroits inhospitaliers? Afin de se prévaloir d'une dureté à l'épreuve, d'une connaissance, d'une supériorité, à l'instar des gens qui se targuent d'aimer la musique insaisissable ou la littérature illisible. Oh, je l'avais moi-même fait. Pensant que cela compenserait peut-être certaines de mes insuffisances. À moins que ce qualificatif ne soit simplement voulu comme une consolation pour ceux qui sont réduits à vivre sur le Finnmarksvidda : « C'est si beau ici. » Car qu'y a-t-il de si beau dans ce paysage plat, monotone, aride? C'est Mars. Un désert rouge. Inhabitable et laid. La cachette parfaite. Avec un peu d'espoir.

Sur le bas-côté, les branches d'un bosquet remuèrent. L'instant suivant, quelqu'un franchissait d'un bond le fossé pour atterrir sur la route. Ma main eut le réflexe de s'emparer du pistolet, mais je l'arrêtai, ce n'était pas l'un d'eux. Ce type avait l'air d'un joker tout droit sorti de son jeu de cartes.

« Bonsoir ! » me lança-t-il.

Il se dirigea vers moi dans un singulier dandinement, les jambes arquées au point que je voyais la route derrière lui entre ses genoux. Quand il approcha, je m'aperçus toutefois que ce n'était pas la coiffe d'un bouffon qu'il avait sur la tête, mais un bonnet same. Bleu, rouge, jaune, ne manquaient que les grelots. Il portait des bottes en peau claire et son anorak était parsemé de bouts d'adhésif noir et de déchirures d'où s'échappait un contenu marronnasse évoquant davantage la ouate d'isolation que les plumes.

« Je vous prie de m'excuser de vous poser la question, mais qui êtes-vous donc ? »

Il mesurait au moins deux têtes de moins que moi. Son visage était large, son sourire ample et ses yeux légèrement bridés, comme ceux d'un Asiatique. En superposant toutes les préconceptions que les gens d'Oslo ont des Sames, on aurait obtenu ce gars-là.

« Je suis arrivé par le car, expliquai-je.

— J'ai vu ça. Je suis Mattis.

— Mattis, répétai-je lentement pour gagner quelques secondes et réfléchir à son inévitable question suivante.

— Et vous, qui êtes-vous ?

— Ulf. »

Ce nom en valait bien un autre.

« Et que venez-vous faire à Kåsund ?

— Juste en visite, répondis-je avec un signe de tête vers le hameau.

— Visite à qui ? »

Je haussai les épaules.

« Personne en particulier.

— Vous êtes de l'Agence de la faune sauvage ou prédicateur?»

Je ne sais pas à quoi ressemblent les employés de l'Agence de la faune sauvage, mais je secouai la tête et me passai la main dans mes longs cheveux de hippie. À couper, peut-être. Je me ferais moins remarquer.

«Je vous prie de m'excuser de vous poser la question, fit-il encore, mais qu'êtes-vous, alors?

— Chasseur.»

Ce devait être cette histoire d'Agence de la faune sauvage. Et, dans un sens, c'était une vérité autant qu'un mensonge.

«Ah? Vous allez chasser ici, Ulf?

— Ça m'a l'air d'un beau terrain de chasse.

— Oui, mais alors vous avez une semaine d'avance, la saison n'ouvre que le 15 août.

— Y a-t-il un hôtel, ici?»

Le Same éclata de rire. Se racla la gorge et expulsa une substance brune dont j'espérais que c'était bien de la chique ou quelque chose de ce genre. Le crachat atteignit le sol dans un claquement retentissant.

«Une pension de famille?»

Il secoua la tête.

«Un chalet de camping? Une chambre à louer?»

Sur le poteau télégraphique derrière lui était collée l'affiche d'un orchestre de bal qui allait se produire à Alta. Ville qui ne devait donc pas se trouver très loin. Peut-être aurais-je dû rester dans le car jusque là-bas.

«Et vous, Mattis? demandai-je en écrasant un

moustique qui me piquait le front. Vous n'auriez pas un lit à me prêter pour cette nuit?

— Le lit, j'ai fait chauffer le poêle avec. Nous avons eu un mois de mai très froid.

— Canapé? Matelas?

— Matelas?»

Il désigna d'un geste la bruyère qui recouvrait le plateau.

«Merci, mais j'aime bien avoir un toit et des murs. Je vais voir si je ne me trouve pas une niche inoccupée. Bonne nuit.»

Je commençai à marcher vers les habitations.

«La seule niche que vous trouverez à Kåsund, c'est ça!» cria-t-il avec une intonation tombante, plaintive.

Je me retournai. Son index pointait sur le bâtiment devant le hameau.

«L'église?»

Il acquiesça.

«Elle est ouverte en pleine nuit?»

Mattis inclina la tête.

«Vous savez pourquoi personne ne vole à Kåsund? Parce que, à part des rennes, il n'y a rien à voler.»

Le petit homme rondelet sauta par-dessus le fossé avec une grâce étonnante et entreprit de patauger dans la bruyère. Vers l'ouest. Mes points de repère étaient le soleil au nord et le clocher qui, comme dans toutes les églises du monde – d'après mon grand-père –, était tourné vers l'ouest. Je mis ma main en visière et observai le terrain devant lui. Où diable avait-il l'intention d'aller?

14

Peut-être était-ce le soleil qui brillait alors qu'on était au milieu de la nuit, ou le profond silence, ce village avait en tout cas quelque chose d'étrangement abandonné. Les maisons semblaient avoir été construites à la va-vite, sans soin ni attention. Elles ne paraissaient pas manquer de solidité, pourtant, plus qu'un foyer, elles donnaient l'impression de n'être qu'un toit sur la tête. Elles étaient fonctionnelles. Pour affronter les intempéries, des panneaux de façade ne nécessitant pas d'être repeints régulièrement. Des épaves de voitures dans des jardins qui n'en étaient pas, mais évoquaient plutôt des enclos de bruyère et de bouleaux. Des poussettes, pas de jouets. Seules quelques maisons avaient des rideaux aux fenêtres. Les vitres nues reflétaient le soleil et ainsi protégeaient des regards. Comme les lunettes noires de quelqu'un qui ne veut pas qu'on examine son âme de trop près.

Effectivement, l'église était ouverte. Enfin, l'humidité ayant fait jouer le bois, la porte s'ouvrit moins facilement que celle d'autres églises où j'étais allé. La nef était très petite, d'un aménagement sobre, mais belle aussi dans sa simplicité. Le soleil de minuit éclairait les vitraux et l'habituel Christ exsangue sur la croix était suspendu au-dessus de l'autel, devant un triptyque avec la Vierge Marie au milieu et David contre Goliath et l'enfant Jésus de part et d'autre.

Derrière l'autel, je trouvai sur le côté la porte de la sacristie. En cherchant dans les placards, je découvris deux aubes, un balai et un seau, mais pas de vin de messe, juste deux boîtes d'hosties avec le cachet de la boulangerie Olsen. Je pus en mastiquer quatre ou cinq, mais c'était comme manger du buvard, elles me desséchaient la bouche et gonflèrent au point que je dus finalement les recracher sur le journal qui était sur la table. Le *Finnmark Dagblad* m'indiquait que nous étions – si c'était bien l'édition du jour – le 8 août 1977, il m'informait que les manifestations se multipliaient contre le projet de construction d'une centrale hydroélectrique sur la rivière Alta, il me montrait à quoi ressemblait Arnulf Olsen, le préfet du comté, il m'expliquait que le Finnmark, unique comté partageant une frontière avec l'Union soviétique, se sentait un peu plus en sécurité maintenant que l'espionne Gunvor Galtung Haavik était morte, et il m'annonçait qu'on prévoyait enfin un temps meilleur ici qu'à Oslo.

Le sol en pierre de la sacristie était trop dur pour que je m'y couche et les bancs d'église trop étroits, j'emportai donc l'aube dans l'abside, posai ma veste sur la balustrade de l'autel et m'allongeai par terre en mettant mon sac en cuir sous ma tête. Je sentis quelque chose de mouillé atteindre mon visage. Je l'essuyai de la main et examinai le bout de mes doigts. Couleur rouille.

Je levai les yeux sur le crucifié juste au-dessus de moi. Puis je compris que la goutte devait venir du plafond. Fuite, humidité, teintée d'argile ou de fer. Je me retournai afin de ne pas reposer sur mon épaule douloureuse et remontai l'aube sur ma tête pour refouler le soleil. Je baissai les paupières.

Voilà. Ne pas penser. Tout enfermer à l'extérieur. Enfermé !

J'arrachai l'aube, je suffoquais.

Merde.

Je restai à regarder le plafond. Juste après l'enterrement, quand je n'arrivais pas à dormir, j'avais pris du Valium. Je ne sais pas si j'avais développé une dépendance, mais en tout cas il m'était devenu difficile de m'endormir sans. Il s'agissait maintenant d'être suffisamment épuisé.

Je remontai de nouveau l'aube et fermai les yeux. Soixante-dix heures en fuite. Mille huit cents kilomètres. Une ou deux heures de sommeil sur des sièges de train et de car. Suffisamment épuisé, je devais l'être.

De bonnes pensées à présent.

J'essayai de songer à comment tout avait été avant. Avant avant. Mais l'évocation refusait de venir. À la place remontait tout le reste. L'homme vêtu de blanc. L'odeur de poisson. Un canon de pistolet. Du verre qui se brisait, la chute. Je repoussai tout cela, tendis la main, chuchotai son nom.

Et enfin, elle arriva.

Je me réveillai. Restai parfaitement immobile.

Quelque chose m'avait bousculé. Quelqu'un m'avait bousculé. Délicatement, comme pour ne pas me réveiller, juste s'assurer d'une présence humaine sous l'aube.

Je me concentrai pour respirer régulièrement. Peut-être restait-il encore une possibilité, peut-être n'avaient-ils pas remarqué que je m'étais réveillé.

Je glissai ma main vers mon flanc, avant de me souvenir que j'avais posé ma veste avec le pistolet sur la balustrade de l'autel.

Erreur d'amateur pour un soi-disant professionnel.

2

Je continuai de respirer, sentis mon pouls s'apaiser. Mon corps avait compris ce que ma tête n'avait pas encore conclu : si c'était l'un d'eux, il ne m'aurait pas tapoté légèrement, mais se serait contenté de retirer l'aube pour établir que j'étais bien la bonne personne, avant de me poivrer comme une potée de chou au mouton faisandé.

J'écartai prudemment l'aube de ma tête.

Le visage qui me regardait était criblé de taches de rousseur, avec un nez en trompette, un pansement sur le front, des cils clairs et des yeux exceptionnellement bleus. Au-dessus se dressait une dense crête rousse. Quel âge pouvait-il avoir ? Neuf ans ? Treize ? Aucune idée, je suis mauvais pour tout ce qui a trait aux enfants.

« Tu ne peux pas dormir ici. »

Je regardai autour de moi. Il semblait être seul.

« Pourquoi ? fis-je, la voix pâteuse.

— Parce que maman va faire le ménage. »

Je me levai, roulai l'aube, pris ma veste sur la balustrade, palpai la poche pour m'assurer que le pistolet y était toujours. La douleur me lacéra l'épaule gauche quand je la passai de force dans la manche.

« T'es un sudiste ? demanda le garçon.

— Tout dépend de ce que signifie "sudiste".

— Ben, que tu viens du sud d'ici.

— Tout est au sud d'ici. »

Le garçon pencha la tête sur le côté.

« Je m'appelle Knut, dix ans. Et toi ? »

J'allais dire un nom au hasard, puis me souvins de la version de la veille. Ulf.

« Et tu as quel âge, Ulf ?

— Je suis vieux. »

Je m'étirai la nuque.

« Plus de trente ans ? »

La porte de la sacristie s'ouvrit. Je me retournai. Une femme sortit, s'arrêta, resta à m'observer. Mon premier constat fut qu'elle était jeune pour une femme de ménage. Et qu'elle avait l'air forte. Les veines saillaient sur son avant-bras et la main qui tenait le seau, dont l'eau débordait. Elle était large d'épaules, mais avait la taille fine. Ses jambes étaient cachées sous une jupe plissée noire à l'ancienne. La deuxième chose qui me frappa fut sa chevelure. Longue et si foncée que la lumière des fenêtres hautes la faisait scintiller. Retenue par une simple pince.

Elle se remit en mouvement, vint vers moi, ses chaussures claquaient sur le sol. Quand elle fut suffisamment près, je vis qu'elle avait une jolie bouche, mais barrée d'une cicatrice de bec-de-lièvre. Avec une peau si mate, une chevelure si sombre, ses yeux bleus paraissaient presque anormaux.

« Bonjour, fit-elle.

— Bonjour. Je suis arrivé par le car cette nuit. Et je n'avais nulle part où…

— C'est bon. La porte est ouverte, ici. »

C'était dit sans chaleur. Elle posa son seau et tendit la main.

« Ulf, me présentai-je en tendant la mienne.

— L'aube », précisa-t-elle en chassant ma main d'un geste.

Je baissai les yeux sur le chiffon entre mes doigts.

« Je n'ai pas trouvé de couverture, expliquai-je en lui rendant l'aube.

— Et rien d'autre à manger que notre communion, remarqua-t-elle, avant de dérouler le lourd vêtement blanc pour l'inspecter.

— Désolé, je vais bien sûr payer pour…

— Vous en aviez besoin, avec ou sans bénédiction. Mais la prochaine fois soyez gentil de ne pas cracher sur notre préfet. »

Je ne sais pas si c'était un sourire que je voyais, mais la cicatrice de sa lèvre supérieure sembla se tordre. Sans un mot de plus, elle tourna les talons et disparut dans la sacristie.

Je saisis mon sac et enjambai la balustrade de l'autel.

« Où tu vas ? s'enquit le gamin.

— Je sors.

— Pourquoi ?

— Pourquoi ? Parce que je n'habite pas ici.

— Maman n'est pas aussi fâchée qu'elle en a l'air.

— Tu la salueras.

— De la part de qui, déjà?» lança la voix de la femme.

Ses talons claquaient vers l'autel.

«Ulf.»

J'étais en train de m'accoutumer à ce nom.

«Et que venez-vous faire à Kåsund, Ulf?»

Elle essora sa serpillière au-dessus du seau.

«Chasser.»

Dans une si petite bourgade, quelque chose me disait que mieux valait s'en tenir à une seule et même histoire.

Elle fixa la serpillière sur le balai.

«Quoi donc?

— La perdrix des neiges», tentai-je.

Y avait-il des perdrix des neiges si loin au nord?

«Ou n'importe quoi qui ait du sang dans les veines, en fait, ajoutai-je.

— Il n'y a pas beaucoup de souris et de lemmings cette année.»

Je ris doucement.

«OK, je pensais à des choses un *petit peu* plus grandes que ça.»

Elle haussa un sourcil.

«Ce que je veux dire, c'est juste qu'on ne trouve pas tellement de perdrix.»

Il y eut un silence.

Que Knut finit par rompre :

«Quand les prédateurs n'ont pas assez de souris

et de lemmings, ils prennent les œufs des perdrix des neiges.

— Ah, dans ce sens-là… »

Je hochai la tête et sentis que j'avais le dos moite. Que j'avais besoin de me laver. Que ma chemise et ma ceinture-portefeuille avaient besoin d'être lavées. De même que ma veste de costume.

« Je trouverai bien quelque chose sur quoi tirer. Mon problème, ce serait plutôt que je suis un peu en avance. Comme vous le savez, la saison de la chasse ne commence que la semaine prochaine. Donc d'ici là je n'aurai qu'à m'exercer au tir. »

J'espérais que le Same m'avait donné des informations correctes.

« Saison, saison…, commenta la femme en passant la serpillière à l'emplacement où j'avais couché, si fort que la lame en caoutchouc de son balai en geignait. C'est vous, les sudistes, qui croyez décider ça. Ici, on chasse pour se nourrir. Et quand on n'en a pas besoin, on ne le fait pas.

— À propos de besoin, vous ne connaîtriez pas un endroit où je pourrais loger, dans le village ? »

Elle cessa de laver, s'appuya sur le balai.

« Vous n'avez qu'à frapper à une porte et on vous donnera un lit.

— N'importe où ?

— Oui, je pense. Mais bien entendu, en ce moment, il n'y a pas grand monde chez soi.

— Ah oui. »

Je lançai un regard vers Knut.

« Les vacances d'été ? »

Elle secoua la tête en souriant.

« Le pâturage d'été. Tous ceux qui ont des rennes sont dans des tentes ou des caravanes sur la côte. Certains sont encore à la pêche au colin. Et puis beaucoup sont au rassemblement de Kautokeino.

— Je vois. Y aurait-il moyen de louer un lit chez vous ? »

Notant son hésitation, je m'empressai d'ajouter : « Je paie bien, très bien.

— Personne ici ne vous permettrait de payer grand-chose de toute façon. Mais mon mari n'est pas à la maison, alors ce ne serait sans doute pas bienséant. »

Bienséant ? Je regardai sa jupe. Ses cheveux longs.

« Je vois. Y a-t-il une maison qui soit moins... euh, centrale ? Où l'on puisse avoir un peu de paix et de tranquillité. Et une vue. »

J'entendais par là : où l'on puisse voir si quelqu'un approche.

« Moui. Puisque vous allez chasser, il vous suffirait d'emprunter la cabane de chasse. Tout le monde s'en sert. Elle se trouve légèrement à l'écart. C'est un peu exigu et précaire, mais au moins vous aurez la paix. Et une vue aux quatre vents, c'est sûr et certain.

— Ça me paraît parfait.

— Knut peut vous accompagner.

— C'est inutile, je vais bien trouver...

— Non ! s'exclama Knut. S'il te plaît ! »

Je le regardai de nouveau. Vacances d'été. Tout le monde parti. Un tel ennui qu'il accompagne sa mère qui fait des ménages. Enfin il se passe quelque chose.

« Bien sûr. On y va, alors ?

— Ouais !

— La question que je me pose... »

La femme aux cheveux sombres trempa sa serpillière dans le seau.

« ... c'est avec quoi vous allez tirer. Vous n'avez pas de fusil dans ce sac. »

Je fixai mon sac, comme si je le mesurais, en cherchant une explication.

« Je l'ai oublié dans le train. J'ai téléphoné et on a promis de me l'envoyer par le car dans quelques jours.

— Mais vous devez avoir besoin d'une arme pour vous faire la main, observa-t-elle en souriant. Jusqu'à l'ouverture de la *saison*.

— Je...

— Vous n'avez qu'à emprunter le fusil de mon mari. Attendez donc dehors que j'aie fini, ce sera vite fait. »

Un fusil ? Oui, merde, pourquoi pas ? Et puisque aucune de ses phrases ne se terminait par un point d'interrogation, je me contentai de hocher la tête et de me diriger vers la porte. Entendis un souffle ardent derrière moi et ralentis un peu. Le gamin marcha sur le talon de ma chaussure.

« Ulf ?

— Oui.

— Tu connais des blagues ? »

Assis du côté sud de l'église, je fumais une cigarette. Je ne saurais trop dire pourquoi je fume. Car je ne suis pas dépendant. Je veux dire, mon sang ne réclame pas de nicotine. Ce n'est pas ça. C'est autre chose. Quelque chose dans l'acte. Qui m'apaise. Probablement aurais-je aussi bien pu fumer du foin. Suis-je dépendant de la drogue ? Non, je ne le crois pas du tout. Je suis peut-être alcoolique, mais je ne suis foutrement pas sûr de ça non plus. En tout cas j'aime planer, être allumé, bourré, c'est clair. Et le Valium. J'aime bien prendre du Valium. Ou plus exactement, je n'aime pas ne pas en prendre. C'est pourquoi c'est aussi le seul stupéfiant que j'aie eu le sentiment de devoir arrêter.

Quand j'ai commencé à vendre du haschich, c'était d'abord pour financer ma propre consommation. L'opération était aussi simple que logique ; vous achetez de quoi pouvoir marchander le prix du gramme, vous en revendez deux tiers en plus petites quantités à un prix plus élevé, et hop, vous avez un joint gratuit. De là à en faire une occupation à plein temps, le trajet est court. C'était le trajet vers la première vente qui avait été long. Long, tortueux et avec quelques choix de route que j'aurais bien voulu n'avoir pas faits. Mais voilà, j'étais là, dans le parc du palais royal, à murmurer mon petit slogan de vente (« pétard ? ») aux passants dont je jugeais les cheveux suffisamment longs, la mise assez farfelue. Et il se trouve que la plupart du temps dans la vie, le plus dur, c'est la première fois. Quand un type en chemise bleue coiffé en brosse s'est arrêté pour me demander deux grammes, j'ai donc eu les foies et pris mes jambes à mon cou.

Je savais que ce n'était pas un flic en civil, les flics en civil étaient ceux qui portaient les cheveux les plus longs et les vêtements les plus déjantés. J'avais craint que ce soit un homme du Pêcheur. Mais je compris peu à peu que le Pêcheur ne se préoccupait pas de menu fretin comme moi. Qu'il fallait juste veiller à ne pas prendre trop de place. Et à ne pas s'aventurer sur son marché de l'amphétamine ou de l'héroïne. Comme Hoffmann. Les choses s'étaient mal terminées pour lui. Il n'y avait plus de Hoffmann.

D'une chiquenaude, j'expédiai mon mégot devant moi entre les tombes.

Vous disposez d'un temps donné, vous brûlez jusqu'au filtre et puis, inexorablement, c'est la fin. Mais l'idée, c'est brûler jusqu'au filtre, ce n'est pas de s'éteindre avant. Enfin, idée, idée, c'était en tout cas mon *but*. L'idée, en fait, je m'en fous. Et depuis l'enterrement, le but à atteindre, je n'en étais même pas toujours certain.

Je fermai les yeux et me concentrai sur le soleil, m'appliquai à le sentir chauffer ma peau. À l'apprécier. Hédon. Dieu grec. Ou faux dieu, comme on devait le dire en terre consacrée. C'est sérieusement arrogant de qualifier de *faux dieux* tous les dieux autres que celui qu'on a soi-même inventé. *Tu n'auras pas d'autre dieu que moi.* L'injonction de tout dictateur à ses sujets, bien entendu. Le comique de la chose, c'était juste que les chrétiens ne le voyaient pas eux-mêmes, n'en voyaient pas le mécanisme, l'aspect régénérant, autoréalisant, autorenforçant, qui avait permis à une superstition comme celle-ci de survivre pendant deux millénaires, avec une clef, le salut, réservée à ceux qui avaient eu la chance de naître dans une période correspondant à peine à un battement de cils de l'histoire humaine et qui, de surcroît, vivaient dans la petite partie du globe qui avait entendu le message et défini sa position sur le bref slogan de vente «paradis».

La chaleur s'évanouit. Un nuage s'était immiscé devant le soleil.

«Ça, c'est ma grand-mère maternelle.»

J'ouvris les yeux. Ce n'était pas un nuage. Le soleil auréolait les cheveux roux du gamin. La femme dans l'église était-elle véritablement sa grand-mère?

«Pardon?»

Il pointa son doigt.

«La tombe où tu as jeté ta cigarette.»

Je regardai derrière lui. Vis un peu de fumée s'élever d'un parterre de fleurs devant une pierre noire.

«Je suis navré. Je visais l'allée entre les deux.»

Il croisa les bras.

«Ah oui? Et comment tu peux atteindre des perdrix si tu n'es même pas capable d'atteindre un sentier?

— Bonne question.

— Tu te souviens d'une blague?

— Non, ça prend du temps, tu sais.

— Mais ça fait déjà…»

Il consulta la montre qu'il n'avait pas.

«… vingt-cinq minutes que je t'ai demandé.»

Ce n'était pas le cas. Je pressentais que le trajet jusqu'à la cabane de chasse risquait d'être long.

«Knut! N'embête pas le monsieur.»

C'était sa mère. Elle sortit par la porte de l'église et se dirigea vers le portillon.

Je me levai et la suivis. Elle avait une démarche souple et la cambrure de son dos m'évoquait un cygne. Le chemin de terre qui passait devant l'église menait entre les maisons du hameau qu'était donc Kåsund. Le silence était presque désagréable. Je n'avais pour l'heure vu personne d'autre que ces deux-là et le Same de la nuit précédente.

« Pourquoi n'y a-t-il pas de rideaux aux fenêtres des maisons ? m'enquis-je.

— Parce que Læstadius nous a enseigné qu'il fallait laisser entrer la lumière de Dieu, répondit-elle.

— Læstadius ?

— Lars Levi Læstadius. Vous ne connaissez pas sa doctrine ? »

Je secouai la tête. J'avais dû lire quelque chose sur ce prêtre suédois du siècle dernier qui avait mis de l'ordre dans la vie de débauche des gens du coin, mais sa doctrine, je n'en savais rien, et je pensais en fait que ces trucs démodés étaient de l'histoire ancienne.

« Tu n'es pas læstadien, toi ? demanda le garçon. Alors, tu vas brûler en enfer.

— Knut !

— Mais c'est ce que dit grand-père ! Et il le sait, parce qu'il a été prédicateur itinérant dans tout le Finnmark et le Nord-Troms, alors !

— Grand-père dit aussi qu'il ne faut pas clamer sa foi sur tous les toits. »

Elle s'excusa d'un regard.

«Il se laisse un peu emporter, parfois, Knut. Vous êtes d'Oslo ?

— *Born and raised.*

— Famille ?»

Je secouai la tête.

«Sûr ?

— Quoi ?»

Elle sourit.

«Vous avez hésité. Divorcé, peut-être ?

— Alors là, en tout cas, tu vas brûler en enfer ! s'exclama Knut en remuant ses doigts d'une façon que je supposais figurer des flammes.

— Pas divorcé.»

Je sentais qu'elle me regardait en coin.

«Un chasseur solitaire loin de chez lui, alors ? Que faites-vous par ailleurs ?

— Liquidateur.»

Un mouvement me fit lever les yeux et, dans une lueur, je vis un visage d'homme, puis on tira vivement les rideaux.

«Mais je viens de démissionner. J'essaie de trouver autre chose.

— Autre chose», répéta-t-elle.

Comme dans un soupir.

«Et vous, vous faites des ménages ? enchaînai-je, surtout pour dire quelque chose.

— Maman est sacristaine et bedeau, rectifia Knut. Grand-père dit qu'elle aurait dû devenir prêtre aussi. Enfin, si elle avait été un homme.

— Je croyais qu'on pouvait avoir des femmes prêtres, maintenant ?

— Femme prêtre à Kåsund ?»

Le garçon refit des ondulations de flammes avec ses doigts.

« Nous y voilà. »

Elle tourna vers une petite maison sans rideaux. Dans la cour se trouvait une Volvo posée sur des parpaings Leca, et à côté une brouette contenant deux jantes rouillées.

« Ça, c'est la voiture de papa, expliqua Knut. Celle-ci, c'est celle de maman. »

Il désigna une Coccinelle dans l'ombre d'un garage.

Nous entrâmes dans la maison qui n'était pas verrouillée, elle me fit passer dans le salon et annonça qu'elle allait chercher le fusil. Je me retrouvai seul avec Knut. L'aménagement était spartiate, mais joli, propre, ordonné. Des meubles solides, ni télé ni chaîne stéréo. Aucune plante verte. Et les seules images aux murs étaient un tableau de Jésus portant une brebis et une photo de mariage.

Je m'approchai. C'était elle, aucun doute là-dessus. Elle était jolie, oui, presque belle dans sa robe de mariée blanche. L'homme à ses côtés était grand et carré. Pour une raison que j'ignore, son visage souriant, et pourtant dur, fermé, me fit penser à celui que j'avais aperçu à la fenêtre.

« Venez, Ulf ! »

Je suivis la voix, traversai un couloir et entrai dans ce qui ressemblait à un atelier. Son atelier à lui. Un établi avec des pièces détachées de voiture rouillées, des jouets d'enfant cassés qui semblaient être là depuis un bout de temps, plus d'autres travaux à moitié finis.

Elle avait sorti une boîte de cartouches et désignait un fusil sur deux clous au mur, si haut qu'elle n'arrivait pas à l'attraper. Je suspectai qu'elle m'avait fait patienter dans le salon pour pouvoir d'abord ranger une ou deux choses. Je vis des ronds de bouteilles, notai l'odeur d'alcool et de tabac, le relent d'huile de fusel caractéristique des distillations maison.

« Vous avez des balles pour cette carabine ? m'enquis-je.

« Bien sûr. Mais n'étiez-vous pas censé chasser la perdrix des neiges ?

— C'est plus stimulant à la carabine. »

Je m'étirai pour l'attraper. Visai par la fenêtre. Un mouvement agita les rideaux de la maison voisine.

« Et comme ça, on n'a pas à enlever le plomb du gibier. Comment charge-t-on ? »

Elle me lança un regard scrutateur, se demandant manifestement si je plaisantais, puis elle me montra la manœuvre. Eu égard à ma profession, on aurait pu croire que j'en saurais long sur les armes, mais tout ce que je sais, c'est un ou deux trucs sur les pistolets. Elle inséra un chargeur, m'expliqua son fonctionnement et me précisa que, la carabine étant semi-automatique, les lois sur la chasse ne permettaient pas d'avoir plus de trois coups dans le chargeur et un dans la chambre.

« Bien sûr », fis-je en reproduisant ses gestes.

Ce que j'aime dans les armes, c'est le bruit du métal huilé, la précision de la conception. Mais ça s'arrête là.

« Vous pourriez aussi avoir besoin de ceci. »

Je me retournai. Elle me tendit une paire de jumelles. C'étaient des B8, des jumelles militaires soviétiques. Mon grand-père s'en était procuré par des voies détournées, il s'en servait pour étudier des détails d'église. Il m'avait raconté qu'avant et pendant la guerre toute la bonne optique était fabriquée en Allemagne, et que la première chose que les Soviétiques avaient faite en prenant les rênes avait été de voler les secrets industriels et de fabriquer des copies moins chères, mais drôlement bonnes. Dieu seul sait comment ils avaient déniché des B8 ici. Je posai la carabine et regardai dans les jumelles. La maison au visage. Plus personne maintenant.

« Je vais bien sûr payer la location.

— Sottises. »

Elle troqua la boîte de cartouches contre une autre, la mit devant moi.

« Mais Hugo serait sans doute content que vous remboursiez les munitions que vous utiliserez.

— Où est-il ?

— À la pêche au colin. »

La question n'était sans doute pas bienséante, car je vis son visage tressaillir.

« Vous avez de quoi manger et boire ? »

Je secouai la tête. Y avais à peine songé. Combien de repas avais-je pris, au juste, depuis Oslo ?

« Je peux vous faire un casse-croûte, le reste vous le trouverez dans la boutique de Pirjo. Knut vous montrera. »

Nous ressortîmes sur le perron. Elle consulta sa montre. S'assurait sans doute que je n'étais pas resté assez longtemps pour faire jaser le voisinage. Impatient comme un chien avant sa promenade, Knut arpentait furieusement la cour.

« La cabane est à une bonne demi-heure ou une petite heure à pied, déclara-t-elle. Selon que vous avez le pied léger ou non.

— Hm. Je ne sais pas exactement quand mon fusil arrivera.

— Il n'y a pas d'urgence. Hugo ne chasse pas beaucoup. »

Je fis un signe de tête. Ajustai la sangle et suspendis la carabine à mon épaule. La bonne. Je regardai le hameau, essayai de trouver des mots d'adieu. Elle inclina légèrement la tête, exactement comme son fils, repoussa quelques cheveux de son visage.

« Vous ne trouvez pas ça très beau ? »

Je dus avoir l'air un peu décontenancé, car elle eut un rire bref et ses pommettes hautes s'empourprèrent légèrement.

« Kåsund, j'entends. Nos maisons. C'était beau, ici. Avant la guerre. Mais quand les Russes sont venus en 1945 et que les Allemands sont partis, ils ont tout brûlé. Tout, sauf l'église.

— La tactique de la terre brûlée.

— Les gens avaient besoin de maisons. Donc nous avons construit vite. Et laid.

— Oh, ce n'est pas *si* laid, mentis-je.

— Si, fit-elle en riant. Les maisons sont vilaines. Mais pas les gens qui y vivent. »

J'observai sa cicatrice.

« Je vous crois. On y va, alors. Merci. »

Je lui tendis la main. Cette fois, elle la serra. La

sienne était ferme et chaude, comme une pierre lisse chauffée par le soleil.

« La paix de Dieu. »

Je la regardai. Elle avait l'air sincère.

La boutique de Pirjo se trouvait au sous-sol d'une maison. Il y faisait sombre et elle ne vint pas avant que Knut ait crié « Pirjo » trois fois. Elle était imposante et ronde, coiffée d'un fichu. Elle parlait d'une voix haut perchée.

« *Jumalan terve.*

— Pardon ? »

Elle se détourna de moi pour regarder Knut.

« La paix de Dieu, traduisit-il. Pirjo parle finnois, mais elle connaît les noms norvégiens de ses produits. »

Les vivres étaient derrière le comptoir, où elle les posait au fil de ma commande. Boîtes de boulettes de renne Joika. Boîtes de boulettes de poisson. Saucisse. Fromage. Pain bis.

Elle calculait visiblement dans sa tête, car quand j'eus terminé, elle se contenta d'inscrire un nombre sur un papier qu'elle me présenta. Je songeai que j'aurais dû sortir quelques billets de ma ceinture-portefeuille avant d'entrer. Et comme je n'avais pas envie de montrer que je me promenais avec une somme d'argent conséquente, cent trente mille couronnes en arrondissant, je tournai le dos aux deux autres, allai vers le mur et déboutonnai les deux boutons du bas de ma chemise.

« On n'a pas le droit de faire pipi ici, Ulf. »

Je me retournai à demi et regardai Knut.

« Je plaisantais », précisa-t-il en riant.

Pirjo gesticula pour exprimer qu'elle ne pouvait pas me rendre la monnaie sur le billet de cent que je lui tendais.

« C'est bon. Pourboire. »

Elle répondit quelque chose dans sa langue dure et insaisissable.

« Elle dit que tu reviendras prendre d'autres choses.

— Alors elle devrait peut-être inscrire le montant.

— Elle s'en souviendra. Viens. »

Knut dansait devant moi sur le chemin. La bruyère frottait contre nos jambes de pantalon et les moustiques bourdonnaient autour de nos têtes. Le plateau.

« Ulf ?

— Oui ?

— Pourquoi tu as les cheveux si longs ?

— Parce que personne ne les a coupés.

— Ah oui. »

Vingt secondes plus tard.

« Ulf ?

— Hm.

— Tu ne parles pas finnois *du tout* ?

— Non.

— Le same ?

— Pas un mot.

— Juste le norvégien ?

— Et l'anglais.

— Il y a beaucoup d'Anglais là-bas, à Oslo ? »

Je clignai des yeux vers le soleil. Si on était à la mi-journée, cela signifiait que nous allions relativement droit vers l'ouest.

« En fait, non. Mais c'est une langue mondiale.

— Langue mondiale, oui. C'est ce que mon grand-père dit aussi. Il dit que le norvégien est la langue de la raison. Mais que le same est la langue du cœur. Et le finnois la langue sacrée.

— S'il le dit...

— Ulf ?

— Oui ?

— Je connais une blague.

— Ah bon. »

Il s'arrêta, attendit et repartit dans la bruyère à côté de moi.

« Qu'est-ce qui avance et avance sans jamais arriver ?

— C'est plutôt une devinette, non ?

— Je te donne la réponse ?

— Oui, je crois qu'il le faut. »

Il mit sa main en visière et me regarda en clignant des yeux.

« Tu mens, Ulf.

— Pardon ?

— Tu connais la réponse.

— Ah bon ?

— Tout le monde connaît la réponse à cette devinette. Pourquoi vous devez toujours mentir ? Vous allez...

— Brûler ?

— Oui !

— Qui c'est, *vous* ?

— Papa. Et oncle Ove. Et maman.

— Ah oui? Et à propos de quoi maman ment-elle?

— De papa. Elle me dit que je n'ai pas à avoir peur. C'est ton tour de raconter une blague.

— Je crains de ne pas savoir très bien les raconter. »

Il poussa un gémissement et laissa pendre sa tête et ses bras au-dessus de la bruyère.

« Tu ne sais pas atteindre une cible, tu ne sais rien des perdrix et tu ne connais pas de blagues. Il y a quelque chose que tu *sais*, en fait?

— Eh bien… »

Je vis un oiseau solitaire voguer haut au-dessus de nous. Aux aguets. En quête de proie. Quelque chose dans la raideur de ses ailes en équerre me rappelait un avion de guerre.

« Je sais me cacher.

— Ouais! »

Sa tête se releva d'un coup.

« On peut jouer à cache-cache. Qui compte? Am stram gram…

— Cours donc devant et va te cacher, toi. »

Il courut trois pas avant de piler.

« Qu'est-ce qu'il y a?

— Tu dis ça juste pour te débarrasser de moi.

— Me débarrasser de toi? Jamais.

— Là, tu mens encore! »

Je haussai les épaules.

« On peut jouer au jeu du silence. Celui qui ne reste pas parfaitement silencieux se prend une balle dans la tête. »

Il me regarda bizarrement.

«Pour de faux, précisai-je. OK?»

Il hocha la tête, les lèvres pincées.

«À partir de maintenant!» lançai-je.

Nous marchions et marchions encore. Le paysage, qui de loin avait paru si monotone, changeait sans cesse, passait d'une terre moelleuse et ondoyante, couverte de bruyère verte et brique, à un paysage lunaire rocheux, balafré, et soudain – à la lumière du soleil qui, disque rouge tirant sur le jaune, avait fait une demi-rotation autour de moi depuis mon arrivée – le paysage parut irradier, comme si de la lave s'écoulait sur les pentes douces des collines. Le tout surmonté d'un ciel vaste. Je ne sais pas pourquoi il paraissait tellement plus grand ici, pourquoi j'avais l'impression de voir la terre se courber. Peut-être était-ce le manque de sommeil. J'ai lu qu'on pouvait devenir psychotique au bout de seulement quarante-huit heures sans sommeil.

Knut marchait en silence, avec une mine combative obstinée, son visage constellé de taches de son. Les nuages de moustiques s'étaient rapprochés pour ne former qu'une grande nuée dont nous ne sortions pas. J'avais cessé de les écraser quand ils se posaient sur moi. Ils pénétraient ma peau avec trompe et anesthésiant, et l'opération était suffisamment douce pour que je les laisse faire. Ce qui comptait désormais, c'était d'interposer des kilomètres entre la civilisation et moi. Mais j'allais tout de même devoir échafauder un plan sans trop tarder.

Le Pêcheur trouve toujours ce qu'il cherche.

Mon plan jusqu'à présent avait été de ne pas en avoir, puisqu'il anticiperait toute stratégie logique que je pourrais élaborer. Ma seule chance était l'arbitraire. Être si imprévisible que je ne savais pas moi-même quel serait mon prochain coup. Mais ensuite, il me faudrait inventer quelque chose. Si « ensuite » il y avait.

« L'heure, déclara Knut. La réponse c'est l'heure. »

J'acquiesçai. C'était juste une question de temps.

« Et maintenant, tu peux me coller une balle dans la tête, Ulf.

— D'accord.

— Fais-le, alors !

— Pourquoi ?

— Pour que ce soit fait. Rien de pire qu'une balle dont on ne sait pas quand elle va arriver.

— Pan.

— On t'embêtait à l'école, Ulf ?

— Pourquoi poses-tu cette question ?

— Tu parles bizarrement.

— Tout le monde parle comme ça là où j'ai grandi.

— Ouh là ! Alors tout le monde se faisait embêter ? »

Je ne pus m'empêcher de rire.

« D'accord. On m'embêtait *un peu*. Quand j'avais dix ans, mes parents sont morts, et j'ai déménagé de l'est à l'ouest de la ville, chez mon grand-père, Basse. Les autres gamins me traitaient d'Oliver Twist et de déchet de l'est.

— Mais ce n'est pas ce que tu es.

— Merci.

— Tu es un déchet du sud. »

Il rit.

« C'était une blague ! Maintenant tu m'en dois trois.

— J'aimerais savoir d'où tu les sors, Knut. »

Il cligna un œil et me regarda.

« Je peux porter le fusil ?

— Non.

— C'est celui de papa.

— J'ai dit non. »

Il geignit, et resta un instant bras ballants et tête basse, avant de se redresser. Nous cheminions bon train. Il chantonnait doucement. Je n'en jurerais pas, mais on aurait dit un cantique. J'eus envie de lui demander comment s'appelait sa mère, ce pourrait être pratique de le savoir quand je retournerais au village. Si je ne retrouvais pas la maison, par exemple. Mais pour une raison inconnue, je ne me résolus pas à lui poser la question.

« Voilà la cabane », annonça Knut en pointant son doigt.

Je sortis les jumelles. Réglai la mise au point, procédure qu'il faut répéter pour chacun des oculaires avec les B8. Derrière le bal des moustiques apparaissait une construction qui ressemblait davantage à un petit abri à bois qu'à une cabane. Aucune fenêtre pour autant que je puisse voir, juste un amas de planches brutes, grises, desséchées, qui s'agrippaient à un mince conduit de cheminée noir.

Nous continuâmes de marcher, et je devais avoir l'esprit ailleurs quand mon œil nota un mouvement, quelque chose de bien plus imposant que des moustiques, à peut-être cent mètres devant nous, quelque chose qui s'était soudain arraché à la monotonie du paysage. J'eus la sensation que mon cœur s'arrêtait un instant. Un curieux cliquetis se fit entendre quand l'animal à l'énorme ramure détala dans la bruyère.

«*Bukk*», affirma Knut.

Bukk, un mâle. Mon pouls s'apaisa lentement.

«Comment sais-tu que ce n'est pas une… euh, l'autre?»

Il me lança de nouveau son drôle de regard.

«Il n'y a pas beaucoup de rennes à Oslo, expliquai-je.

— Une *simle*. Ben, parce que les mâles ont de plus grands bois. Regarde, là il fraye.»

Le renne s'était arrêté dans un bosquet derrière la cabane et frottait sa ramure contre un tronc de bouleau.

«Est-ce qu'il racle de l'écorce pour la manger?»

Il rit.

«Les rennes mangent du lichen.»

Bien sûr, le lichen des rennes. Nous avions appris à l'école qu'il y a de ces mousses, là, qui poussent par ici, près du pôle Nord. Que le *joik* est un braillement improvisé en same, qu'un *lavvo* est une espèce de tipi, et qu'Oslo est plus loin du Finnmark que de Londres ou Paris. Plus une comptine qui était censée nous aider à mémoriser les noms des fjords, mais personne ne se souvenait de quoi elle retournait. En tout cas pas moi, qui pendant quinze ans de scolarité, dont deux à l'université, m'en étais sorti en retenant des approximations.

« Frayer, ça veut dire nettoyer ses bois, poursuivit Knut. La frayure se fait en ce moment, en août. Quand j'étais petit, grand-père me racontait que c'était parce que ses bois démangeaient le renne. »

Il claqua sa langue à la manière d'un vieillard, comme pour déplorer sa naïveté d'antan. J'aurais sans doute pu lui en conter sur la naïveté présente de certains d'entre nous.

La cabane se dressait sur quatre pierres. La porte n'était pas verrouillée, mais je dus tirer fort sur la poignée pour la libérer de son encadrement. À l'intérieur, il y avait deux lits superposés avec des couvertures en laine, un poêle à bois aux deux plaques de cuisson surmontées d'une casserole et d'un faitout cabossé. Un placard mural orange, un seau en plastique rouge, deux chaises et une table qui penchait vers l'ouest – soit elle était bancale, soit le plancher l'était.

Il y avait des fenêtres dans la cabane. Si je ne les avais pas vues, c'était qu'il s'agissait de simples lucarnes étroites sur tous les murs excepté celui de la porte. Elles laissaient toutefois entrer suffisamment de lumière et on pouvait voir ce qui approchait dans toutes les directions. Des meurtrières. Même lorsque je fis les trois pas qui me transportaient d'un bout à l'autre de la bâtisse et sentis la construction basculer tout entière comme une table de café français, ma conclusion resta inchangée : cette cabane était parfaite.

Je regardai autour de moi et pensai à la première

chose que mon grand-père m'avait dite lorsqu'il avait porté la valise de son petit-fils de dix ans et lui avait ouvert la porte de sa maison : *Mi casa es tu casa*. Phrase dont, sans en comprendre un mot, j'avais saisi le sens.

«Tu veux un café avant de redescendre?» proposai-je avec entrain en ouvrant le poêle.

Une bouffée de fine cendre grise s'en échappa.

«J'ai dix ans, rappela Knut. Je ne bois pas de café. Il te faut du bois. Et de l'eau.

— Je sais. Un bout de pain, alors?

— Tu as une hache? Ou un couteau?»

Je le regardai sans réagir. Il leva les yeux au ciel en guise de réponse. Un chasseur sans couteau.

«Tu n'as qu'à emprunter celui-ci en attendant.»

Knut me présenta un énorme couteau à large lame et manche en bois jaune.

Je soupesai l'objet dans ma main. Lourd, mais pas trop, et bien équilibré. À peu près la sensation que doit procurer un pistolet.

«C'est ton père qui te l'a donné?

— Mon grand-père. C'est un couteau same.»

Nous convînmes qu'il irait chercher le bois et moi l'eau. Apparemment réjoui d'avoir le travail d'adulte, il attrapa le couteau et s'élança au-dehors. Je découvris dans le mur une planche qui jouait. Derrière se trouvait une espèce d'isolation faite de mousse et de tourbe où j'enfonçai la ceinture-portefeuille. Puis, au son des chocs du métal sur le bois dans le bosquet, je remplis le seau en plastique au ruisseau qui coulait à seulement cent mètres de la cabane.

Knut chargea le poêle de petit bois et d'écorce tandis que je balayais les crottes de souris du placard et y rangeais les vivres. Je lui laissai ma boîte d'allumettes et, aussitôt après, le feu brûlait et la cafetière sifflait. Le poêle fumait un peu, et je sentis que les moustiques s'éloignaient. Je saisis l'occasion pour enlever ma chemise et m'asperger le visage et le torse avec l'eau du seau.

«Qu'est-ce que c'est?»

Knut pointa le doigt.

«Ça? fis-je en soulevant la plaque d'identité que j'avais autour du cou. Mon nom et mon numéro d'identité gravés dans du métal à l'épreuve des bombes, pour qu'ils sachent qui ils ont tué.

— Pourquoi ils ont besoin de l'information?

— Pour savoir où envoyer le squelette.

— Ha ha, fit-il sèchement. Ça ne compte *pas* comme blague.»

Le sifflement de la cafetière s'était transformé en grondement menaçant. Quand je versai le café dans l'une des deux tasses fendues, Knut avait déjà avalé la moitié de sa deuxième grosse tartine de pâté de foie. Je soufflai sur la surface noire, grasse.

«Ça a quel goût, le café? se renseigna Knut, la bouche pleine.

— Le plus dur, c'est la première fois, répondis-je en tentant une gorgée. Finis de manger et ensuite tu rentreras avant que ta mère se demande où tu es.

— Elle sait où je suis.»

Il mit ses deux coudes sur la table et la tête dans ses mains, faisant remonter ses joues devant ses yeux.

«Blague.»

Le café était parfait, et la tasse dans ma main me réchauffait bien.

«Tu connais celle du Norvégien, du Danois et du Suédois qui parient sur celui qui peut se pencher le plus loin par la fenêtre?»

Ses bras disparurent de la table et il me fixa, plein d'attente.

«Non.

— Ils s'asseyent sur l'appui de fenêtre. Et tout à coup, le Norvégien gagne.»

Dans le silence qui suivit, je bus une autre gorgée. Je partais du principe que Knut devait son expression hébétée au fait qu'il n'avait pas perçu que la blague était finie.

«Gagne comment?

— Qu'est-ce que tu crois? Le Norvégien est tombé par la fenêtre.

— Donc le Norvégien avait parié sur lui-même.

— Évidemment.

— Ce n'est *pas* évident, tu aurais dû le dire au début.

— OK, mais maintenant, tu as compris la chute. Alors comment tu la trouves?»

Il mit un doigt sous son menton taché de son et regarda dans le vide d'un air pensif. Puis vinrent deux salves de rire. Et un nouveau regard songeur.

«Un peu courte, conclut-il. Mais c'est sans doute ce qui la rend drôle. Que – pan! – elle soit terminée. Oui, elle me fait rire.»

Il rit encore.

«À propos de terminé…

— Oui, oui, fit-il en se levant aussitôt. Je reviendrai demain.

— Ah ? Qu'est-ce qui te fait croire ça ?

— L'huile à moustiques.

— L'huile à moustiques ? »

Il me prit la main et la posa sur mon front. C'était comme de toucher du film à bulles, des bosses et des bosses.

« OK. Apporte de l'huile à moustiques. Et de la bière.

— De la bière ? Alors…

— … je vais brûler.

— … il faut aller à Alta. »

Je songeai à l'odeur d'alcool dans l'atelier de son père.

« Café à la gnôle.

— Hein ?

— Du distillé maison. De l'alcool. Ce que boit ton père. Où se le procure-t-il ? »

Knut bascula une ou deux fois son poids d'une jambe sur l'autre.

« Mattis.

— Hm. Un petit gars avec les jambes arquées et un anorak troué ?

— Oui. »

Je tirai un billet de ma poche.

« Vois ce que tu peux obtenir avec ça, et puis achète-toi une glace. À moins que ce soit un péché. »

Il secoua la tête et prit le billet.

« Adieu, Ulf ! Et garde ta porte fermée.

— Oh, je ne pense pas qu'il y ait de place pour d'autres moustiques.

— Pas des moustiques. Des loups. »

Blaguait-il ?

Quand il fut dehors, je pris la carabine et la calai sur l'appui de fenêtre. Je visai en balayant l'horizon, trouvai le dos de Knut qui dansait sur le sentier, poursuivis vers le bosquet, trouvai le renne. Il leva la tête au même instant, comme s'il m'avait senti. À ma connaissance, les rennes sont des animaux grégaires, il avait donc dû se faire exclure. Comme moi.

Je m'assis devant la cabane et terminai le café. La chaleur et la fumée du poêle m'avaient donné un mal de tête lancinant.

Je regardai l'heure. Qui avançait et avançait. Cela faisait presque cent heures maintenant. Que j'aurais dû être mort. Cent heures de pur bonus.

Quand je relevai les yeux, le renne s'était approché.

3

Cent heures.

Mais ç'avait commencé bien avant. Comme je le disais, je ne sais pas quand. Disons un an plus tôt, le jour où Brynhildsen était venu me trouver dans le parc du palais. J'étais stressé, je venais d'apprendre qu'elle était malade.

Brynhildsen était un gars à calvitie précoce, nez esquinté et moustache très fine. Il avait travaillé pour Hoffmann avant d'être repris par le Pêcheur avec le reste de la succession de Hoffmann, c'est-à-dire son territoire d'héroïne, sa femme et son gigantesque appartement de Bygdøy Allé. Brynhildsen me fit savoir que je devais aller à la poissonnerie, le Pêcheur voulait me parler. Puis il partit.

Grand-père adorait les proverbes espagnols qu'il avait appris quand il habitait à Barcelone et dessinait sa version de la Sagrada Familia. L'un de ceux que j'entendis le plus était : « *Nous étions peu nombreux dans la maison, et puis grand-mère tomba enceinte.* » Une autre façon de dire : « *Comme si nous n'avions pas assez de problèmes comme ça…* »

Mais le lendemain, je me rendis tout de même à la poissonnerie du Pêcheur sur Youngstorget. Non que j'en eusse envie, mais l'autre option – ne pas y aller – était exclue. Le Pêcheur était trop puissant. Trop dangereux. Tout le monde connaissait l'histoire du Pêcheur qui avait décapité Hoffmann en déclarant que c'était ce qui arrivait aux présomptueux. Ou celle de la soudaine disparition de ses deux dealers qui avaient puisé dans la cargaison. On ne les avait plus jamais revus. D'aucuns prétendaient que, dans les mois suivants, les boulettes de poisson de son magasin avaient été particulièrement savoureuses. Il ne faisait rien pour mettre un terme aux rumeurs. C'est ainsi qu'un homme d'affaires comme le Pêcheur surveille son territoire, avec un mélange de rumeurs, d'histoires à moitié vraies et de purs et simples faits sur ce qu'il advient de ceux qui cherchent à le rouler.

Je n'avais pas cherché à rouler le Pêcheur. Et pourtant je transpirais comme un junkie sobre depuis trois jours lorsque je me retrouvai dans sa poissonnerie et me présentai à l'une des femmes au comptoir. Je ne sais pas si elle avait appuyé sur une sonnette ou quoi, mais aussitôt après le Pêcheur sortit derrière les vendeuses par la porte battante, un large sourire aux lèvres, vêtu de blanc de pied en cap – sabots blancs, pantalon blanc, chemise et tablier blancs, calot blanc – et me tendit une grande paluche mouillée.

Nous entrâmes dans l'arrière-boutique. Sol et murs entièrement carrelés de blanc. Sur les plans de travail contre le mur se trouvaient des plats en métal avec des filets cadavériques dans de la saumure.

« Désolé pour l'odeur, Jon, je suis en train de faire des boulettes. »

Le Pêcheur tira une chaise de la table en métal au centre de la pièce.

« Assieds-toi.

— Je ne vends que du hasch, annonçai-je en faisant ce qu'il me disait. Jamais de speed ni d'héroïne.

— Je sais. Si je voulais te parler, c'est parce que tu as tué l'un de mes employés. Toralf Jonsen. »

Je le fixai, muet d'étonnement. J'étais mort. J'allais me transformer en boulettes de poisson.

« Très talentueux, Jon. Et quelle astuce de le camoufler en suicide, tout le monde savait que Toralf avait l'âme un peu… tourmentée. »

Le Pêcheur déchira un bout de filet et se le mit dans la bouche.

« La police n'a même pas considéré sa mort comme suspecte. Je dois admettre que moi aussi je croyais qu'il s'était tué. Jusqu'à ce qu'une de nos relations dans la police nous informe en sous-main que le pistolet qu'on avait trouvé à côté de lui était immatriculé à ton nom. Jon Hansen. Nous avons donc vérifié un peu plus avant. C'est à ce moment-là que la petite amie de Toralf nous a raconté qu'il te devait de l'argent. Que tu avais essayé de le réclamer deux jours avant sa mort. N'est-ce pas ? »

Je déglutis.

« Toralf fumait pas mal. On se connaissait bien, c'était un ami d'enfance. On a partagé un appart pendant un temps et tout. Donc je lui avais fait une petite ardoise. »

J'essayai de sourire. Je me doutais à peu près de l'air penaud que j'avais.

« Dans ce secteur, c'est toujours bête d'avoir d'autres règles pour les amis, pas vrai ? »

Le Pêcheur me rendit mon sourire, brandit un filet de poisson en le tenant par un tendon, l'examina tandis qu'il tournoyait lentement en l'air.

« Il ne faut jamais laisser les amis, la famille et les employés te devoir de l'argent, Jon. Jamais. Et donc tu l'as laissé avoir une dette pendant un moment, mais au final tu savais que les règles sont là pour être respectées. Tu es comme moi, Jon. Fidèle à tes principes. Quiconque te lèse doit être sanctionné. Que ce soit un petit ou un grand. Un métèque que tu ne connais pas ou ton frère. C'est la seule façon de défendre ton territoire. Même une boutique merdique comme celle que tu as au parc du palais. Combien tu gagnes ? Cinq mille par mois ? Six ? »

Je haussai les épaules.

« Quelque chose comme ça.

— J'ai du respect pour ce que tu as fait.

— Mais…

— Toralf était un homme très important pour moi. C'était mon recouvreur. Et, quand il le fallait, mon liquidateur. Il était prêt à liquider les mauvais payeurs. Dans la société actuelle, ce n'est pas le cas de tout le monde. Les gens sont devenus si douillets. Il est maintenant possible d'être douillet et de survivre quand même. C'est… »

Il fourra le filet entier dans sa gueule.

«… pervers. »

Pendant qu'il mastiquait, j'évaluai les possibilités dont je disposais. La meilleure semblait être de me lever, de traverser la poissonnerie en courant et de m'élancer sur la place.

« Alors, tu comprends bien que tu m'as mis dans le pétrin », ajouta-t-il.

Bien sûr, ils me poursuivraient et me feraient la peau, mais s'ils devaient me dézinguer en pleine rue, j'éviterais peut-être de finir dans la pâte à boulettes de poisson.

« Je me dis : qui est-ce que je connais qui soit capable de faire le nécessaire ? Qui puisse tuer ? Je n'en connais que deux. L'un est efficace, mais aime un peu trop tuer, et ce type de plaisir m'apparaît comme… »

Le Pêcheur farfouilla entre ses incisives.

«… pervers. »

Il examina sa pêche sur le bout de son doigt.

« En plus, il ne se coupe pas les ongles correctement. Et ce qu'il me faut, ce n'est pas un pervers efféminé, c'est quelqu'un qui sache parler aux gens. D'abord leur parler, et *ensuite*, si ça n'aboutit pas, les liquider. Alors combien veux-tu, Jon ?

— Pardon ?

— Huit mille par mois ? »

Je clignai des yeux.

« Non ? Dix ? Plus trente en prime pour d'éventuelles expéditions.

— Vous me demandez si…

— Douze ? Bon sang, tu es dur, Jon. Mais soit. Ça aussi, je le respecte. »

Je respirai par le nez. Il me demandait si je pouvais reprendre le travail de recouvreur et de liquidateur de Toralf.

Je déglutis. Et réfléchis.

Je n'avais pas envie de ce travail.

Je n'avais pas envie de cet argent.

Mais j'en avais besoin.

Elle en avait besoin.

« Douze…, dis-je. Ça me paraît bien. »

La tâche était simple.

Il me suffisait d'annoncer que j'étais le recouvreur du Pêcheur pour que l'argent arrive sur la table. Et je n'étais pas précisément débordé, je passais le plus clair de mon temps dans l'arrière-boutique de la poissonnerie à jouer aux cartes avec Brynhildsen, qui trichait constamment, et Haltères, qui parlait toujours de ses rottweilers, de leur putain d'efficacité. Je m'ennuyais, j'appréhendais, mais l'argent rentrait, et j'avais calculé que, avec deux expéditions, je pourrais payer le traitement dans un an. Avec un peu d'espoir, ce serait suffisant. Et on s'habitue à tout, même à la puanteur du poisson.

Un jour, le Pêcheur vint me dire qu'il avait une affaire un peu plus importante, qui requérait à la fois de la discrétion et de la poigne.

« Il m'achète du speed depuis des années, m'expliqua-t-il. Comme il n'était ni ami ni famille ou employé, je lui ai fait une ardoise. Il n'y a jamais eu de problèmes, mais là, il est en retard sur ses paiements. »

C'était Kosmos, un type d'un certain âge qui

dealait du speed à sa table d'habitué du Gullfisken. Le Gullfisken était un café brun du port. Derrière les fenêtres, grises de la poussière soulevée par les poids lourds qui passaient juste devant, se trouvaient rarement plus de trois ou quatre personnes.

Kosmos procédait de la façon suivante : l'acheteur de speed entrait et s'asseyait à la table voisine, qui était toujours libre parce que Kosmos y avait posé un *Hjemmet* en suspendant sa veste à la chaise. Quant à lui, il faisait les mots croisés des journaux. *Aftenposten*, les mini-mots croisés de *VG*, les grands de Helge Seip dans *Dagbladet*. Et ceux de *Hjemmet*, bien sûr. Il avait paraît-il remporté deux fois le championnat de Norvège de mots croisés de cet hebdomadaire familial. Vous posiez une enveloppe dans *Hjemmet* et alliez aux chiottes, et quand vous reveniez, l'enveloppe contenait du speed à la place de l'argent.

C'était tôt le matin et il n'y avait que deux autres clients dans la salle quand j'entrai. Je m'assis à la table voisine de celle du vieux, commandai un café et allai sur la page des mots croisés. Me grattai la tête avec mon crayon. Me penchai en avant.

« Excusez-moi ? »

Je dus répéter deux fois avant que Kosmos lève les yeux de sa propre grille. Il portait des lunettes à verres orange.

« Désolé, mais je cherche "arriéré" en cinq lettres. Première lettre *d*.

— Dette, répondit-il, baissant de nouveau le regard.

— Bien sûr. Merci. »

Je fis semblant de remplir les cases.

J'attendis un peu, bus une gorgée de mon breuvage au vague goût de café. Toussotai :

« Excusez-moi, je ne vais plus vous déranger, mais pourriez-vous m'aider aussi pour "morutier" en sept lettres ? Les deux premières sont *p* et *ê*.

— Pêcheur », répondit-il, sans lever les yeux.

Mais je le vis tressaillir en le disant.

« Un dernier mot. "Outil" en sept lettres. Commence par un *m*, *r* et *t* au milieu. »

Il repoussa son magazine et m'observa. Sa pomme d'Adam montait et descendait sur sa gorge pas rasée.

Je lui fis un sourire d'excuse.

« Vous comprenez, la date limite d'envoi des mots croisés, c'est cet après-midi. Là, il faut que j'aille faire une course, mais je serai de retour dans deux heures précises. Je pose le magazine ici pour que vous puissiez inscrire la réponse si vous la trouvez. »

Je descendis sur le port, fumai et réfléchis. Je ne sais pas quelle était l'histoire, pourquoi il n'avait pas réussi à rembourser sa dette. Et je ne voulais pas le savoir, je ne voulais pas que sa mine désespérée se fixe sur ma rétine. Pas une de plus. Le petit visage pâle sur la taie d'oreiller avec l'insigne délavé de l'hôpital d'Ullevål me suffisait.

À mon retour, Kosmos était apparemment absorbé dans ses mots croisés, mais quand je feuilletai mon magazine, j'y trouvai une enveloppe.

Le Pêcheur confirma par la suite que le compte y était et me déclara doué dans mon travail. Mais à quoi bon ? J'avais parlé aux médecins. Le pronostic était mauvais. Sans traitement, elle ne finirait pas l'année. J'allai donc trouver le Pêcheur et lui présentai les choses telles qu'elles étaient. Il me fallait un prêt.

«Désolé, Jon, je ne peux pas. Employé, hein?»

J'acquiesçai. Qu'allais-je faire, bordel?

«Mais nous avons peut-être la solution à ton problème. J'ai besoin d'une liquidation.»

Oh merde!

Ça devait arriver tôt ou tard, mais j'avais espéré que ce serait tard. Après que j'aurais gagné la somme nécessaire et démissionné.

«J'ai entendu dire que ta maxime préférée, c'était : le plus dur, c'est toujours la première fois. Tu as donc de la chance. Que ce ne soit pas la première fois, j'entends.»

Je m'efforçai de sourire. Il ne pouvait pas savoir. Que je n'avais pas tué Toralf. Que le pistolet enregistré à mon nom était un machin de petit calibre dont Toralf avait eu besoin pour un boulot, mais ne pouvait pas acheter lui-même parce qu'il avait un casier judiciaire de dissident d'Allemagne de l'Est. Ne m'étant jamais fait prendre, que ce soit pour mon petit deal de hasch ou autre chose, je l'avais donc acheté à sa place dans un magasin de sport contre une commission. Je ne l'avais pas revu depuis. Et la somme que j'avais essayé de recouvrer parce qu'elle avait besoin de l'argent pour le traitement, j'y avais renoncé. Toralf, ce pauvre toxico déprimé, avait fait exactement ce qu'il avait l'air d'avoir fait : il s'était tiré une balle.

Je n'avais pas de principes. Pas d'argent. Mais pas non plus de sang sur les mains.

Pas encore.

Trente mille de prime.

Ça allait dans le bon sens. Largement dans le bon sens.

Je me réveillai en sursaut. Les piqûres de moustiques suintaient et accrochaient la couverture en laine. Mais ce n'était pas ce qui m'avait tiré du sommeil. Un hurlement plaintif avait rompu le silence sur le plateau.

Un loup? Je croyais qu'ils hurlaient à la lune l'hiver, pas au putain de soleil qui restait en suspens sur le ciel calciné incolore. Ce devait être un chien, les Sames s'en servaient comme bergers pour leurs rennes, non?

Je me retournai sur le lit étroit, oubliant mon épaule douloureuse, jurai et me retournai encore. Le hurlement semblait lointain, mais qui sait? Apparemment, le son voyage plus lentement en été, porte moins qu'en hiver. L'animal était peut-être juste à côté.

Je fermai les yeux, mais je savais que je n'arriverais pas à dormir.

Alors je me levai, emportai les jumelles à l'une des lucarnes, balayai l'horizon.

Rien.

Juste un *tic-tac-tic-tac*.

4

Knut m'apporta une huile à moustiques lui-sante et visqueuse qui puait et était peut-être du napalm. Plus deux bouteilles sans étiquette, à bou-chon en liège, contenant un liquide qui empestait les sous-produits de fermentation et était *sûrement* du napalm. Le matin était encore arrivé avec du soleil, mais aussi du vent qui sifflait dans le tuyau de poêle. Les ombres de nuages glissaient sur le pay-sage désert aux ondulations monotones comme des troupeaux de rennes, coloraient quelques secondes les étendues de végétation vert pâle en vert foncé, éteignaient les reflets du soleil sur les petits plans d'eau au loin et le scintillement de minuscules cris-taux là où la roche était nue. Comme une soudaine note grave dans un chant aigu. Ou au moins un bémol.

« Maman a dit que tu serais chaleureusement le bienvenu à l'assemblée de la chapelle. »

Le garçon s'était installé à la table en face de moi.

« Ah oui ? » fis-je en passant la main sur la bou-teille.

Je l'avais rebouchée sans goûter. Préliminaires. Il s'agissait de les faire durer, c'était encore mieux après. Éventuellement pire.

« Elle croit que tu peux être sauvé.

— Mais pas toi ?

— Je ne crois pas que tu veuilles être sauvé. »

Je me levai pour regarder par une lucarne. Le renne était de retour. En le voyant plus tôt dans la matinée, je m'étais surpris à être soulagé. Les loups. Ils étaient exterminés en Norvège, non ?

« Mon grand-père dessinait des églises, racontai-je. Il était architecte. Mais il ne croyait pas en Dieu. Il pensait que quand on mourait, on mourait. Je crois plutôt à ça.

— Il ne croyait pas en Jésus non plus ?

— S'il ne croyait pas en Dieu, il ne croyait pas en son fils, Knut.

— Je vois.

— Tu vois. Et ?

— Alors il va brûler. »

Je ris doucement.

« Dans ce cas, ça fait un moment qu'il brûle, il est mort quand j'avais dix-neuf ans. Mais tu ne trouves pas cela un poil injuste ? Basse était un homme bien, il aidait les gens qui en avaient besoin, ce qui est plus qu'on ne peut en dire de beaucoup de chrétiens que j'ai connus. Si je pouvais lui arriver à la cheville… »

Je clignai des yeux. Ils me piquaient et des points blancs flottaient devant. Était-ce tout ce soleil qui me brûlait les rétines, allais-je vers la cécité des neiges, là, en plein été ?

«Grand-père dit que la sainteté par les œuvres, ça ne sert à rien, Ulf. Ton grand-père brûle maintenant, et bientôt ce sera ton tour.

— Hm. Mais tu prétends que si je vais à cette rencontre et que je crois à Jésus et à ce Læstadius, j'irai au paradis même si je n'aide personne en quoi que ce soit?»

Le gamin gratta ses cheveux roux.

«Ouuui. En tout cas si tu adhères au courant de Lyngen.

— Parce qu'il y a plusieurs courants?

— Tu as les Premiers-Nés d'Alta, les lundbergiens de Sør-Tromsø et les anciens læstadiens d'Amérique et...

— Et ils vont tous brûler?

— C'est ce que raconte grand-père.

— On dirait bien qu'il va y avoir de la place au paradis. Tu as pensé au fait que si toi et moi on avait échangé nos grands-pères, tu aurais probablement été athée et moi læstadien? Et que c'est toi qui aurais brûlé?

— Peut-être. Mais heureusement, ce sera toi, Ulf.»

Je soupirai. Le paysage avait quelque chose d'intact. Comme si rien ne devait ni ne pouvait se produire, comme si l'immuable était le naturel.

«Dis, Ulf?

— Oui?

— Est-ce que ton père te manque?

— Non.»

Knut se tut un instant.

«Il n'était pas gentil?

61

— Si, je crois. Mais nous savons bien oublier quand nous sommes enfants.

— C'est permis…, fit-il à voix basse, de ne pas regretter son père?»

Je l'observai.

«Je crois.»

Je bâillai. Mon épaule me faisait mal. J'avais besoin de boire un coup.

«Tu es vraiment tout seul, Ulf? Tu n'as *personne*?»

Je réfléchis. En l'occurrence, il me le fallut, *réfléchir*. Seigneur.

Je secouai la tête.

«Devine à qui je pense, Ulf?

— À ton père et ton grand-père?

— Non. Je pense à Ristiinna.»

Je renonçai à lui demander comment je pouvais le deviner. Ma langue me faisait l'effet d'une éponge desséchée, mais le verre attendrait qu'il ait fini de parler et soit parti. Il m'avait même rendu la monnaie.

«Et qui est Ristiinna?

— Elle est en classe moyenne. Elle a de longs cheveux blonds. Elle est au camp d'été de Kauto-keino. Nous aussi, on aurait dû y être.

— C'est quoi comme camp?

— Ben, un camp, quoi.

— Et qu'y faites-vous?

— Nous, les enfants, on joue. Enfin, sauf quand il y a des assemblées et des prédications. Mais du coup Roger va demander à Ristiinna si elle veut être sa petite amie. Et peut-être qu'ils s'embrasseront.

— Alors ce n'est pas un péché de s'embrasser ?»
Il inclina la tête. Cligna d'un œil.
«Je ne sais pas. Avant qu'elle parte, je lui ai dit que je l'aimais.

— Que tu l'aimais, carrément ?

— Oui.»

Le regard tourné en lui-même, un souffle dans la voix, il se pencha en avant et chuchota : «*Je t'aime, Ristiinna.*» Releva les yeux sur moi.

«C'était mal ?»

Je souris.

«Pas du tout. Et qu'a-t-elle répondu ?

— "Ah bon."

— Elle a répondu "Ah bon"?

— Oui. Tu crois que ça veut dire quoi, Ulf ?

— Eh bien, va savoir. Ça peut bien sûr signifier que c'était un peu beaucoup pour elle. Aimer, c'est un assez grand mot. Mais ça peut aussi vouloir dire qu'elle veut y réfléchir.

— Tu crois que j'ai mes chances ?

— Absolument.

— Même si j'ai une cicatrice ?

— Quelle cicatrice ?»

Il souleva le pansement de son front. Dessous, le bout de peau blanche portait encore la marque des points de suture.

«Que s'est-il passé ?

— Tombé dans l'escalier.

— Raconte-lui que tu t'es battu avec un renne,

que vous luttiez pour un territoire. Et que tu as gagné, évidemment.

— Tu es bête ou quoi? Elle n'y croira pas!

— Non, parce que c'est juste une blague. Les filles aiment les garçons qui savent raconter des blagues.»

Il se mordilla la lèvre supérieure.

«Tu ne mens pas, là, Ulf?

— Écoute. Si tu n'as pas tes chances avec cette Ristiinna cet été, d'autres Ristiinna viendront et d'autres étés aussi. Tu vas avoir un tas de filles.

— Pourquoi?

— Pourquoi?»

Je le mesurai du regard. Était-il petit pour son âge? Il était en tout cas malin pour sa taille. Cheveux roux et taches de son n'étaient peut-être pas un facteur gagnant auprès des femmes, mais ces choses-là étaient sans doute des modes qui allaient et venaient.

«Si tu veux mon avis, tu es la réponse du Finnmark à Mick Jagger.

— Hein?

— James Bond.»

Il me regarda sans comprendre.

«Paul McCartney?» tentai-je.

Pas de réaction.

«Les Beatles. *She loves you, yeah-yeah-yeah.*

— Tu ne chantes pas très bien, Ulf.

— Vrai.»

J'ouvris le poêle, y glissai un chiffon humide et étalai la cendre mouillée sur le viseur usé de la carabine.

«Pourquoi n'es-tu pas au camp d'été?

— Papa est à la pêche au colin, on doit l'attendre.»

Il y avait là quelque chose, un tressaillement des lèvres, un élément qui ne cadrait pas. Une affaire que je décidai de ne pas poursuivre. Je jetai un coup d'œil sur le viseur. Avec un peu d'espoir, cela préviendrait les reflets et le soleil ne viendrait pas trahir que je les visais.

«Allons dehors», proposai-je.

Le vent avait chassé les moustiques et nous nous installâmes au soleil contre la façade. Le renne partit au trot quand nous sortîmes. Knut avait apporté son couteau et taillait un rameau.

«Dis, Ulf?

— Tu n'as pas besoin de dire mon nom chaque fois que tu veux me demander quelque chose.

— Non, d'accord, mais Ulf?

— Oui?

— Est-ce que tu vas te soûler après?

— Non, mentis-je.

— Bien.

— Tu t'inquiètes pour moi?

— Je trouve juste un peu dommage que tu ailles en enfer pour...

— ... brûler?»

Il rit. Leva le rameau en essayant de siffler entre ses dents.

«Ulf?»

Je poussai un soupir découragé.

«Oui?

— Tu as braqué une banque?

— Qu'est-ce qui te le fait penser ?

— Tout l'argent que tu as sur toi. »

Je pris mon paquet de cigarettes. Le tripotai un peu.

« Ça coûte cher de voyager. Et je n'ai pas de carnet de chèques.

— Et le pistolet dans la poche de ta veste. »

Je le considérai les yeux mi-clos tout en essayant d'allumer une cigarette, mais le vent éteignit la flamme. Le garçon avait donc fouillé ma veste avant de me réveiller dans l'église.

« Il faut être prudent quand on a du liquide et pas de carnet de chèques.

— Ulf ?

— Oui.

— Tu ne sais pas très bien mentir non plus. »

Je ris.

« Qu'est-ce qu'il va devenir, ton bâton ?

— Un tolet », répondit-il en continuant de le tailler.

Ce fut plus calme une fois le gamin parti. C'est clair. Mais je sentais que ça ne m'aurait rien fait qu'il reste un peu plus. Car, reconnaissons-le, il avait une certaine valeur de divertissement.

J'étais assis à somnoler. Clignai des yeux et vis que le renne s'était de nouveau rapproché. Il avait dû s'habituer à moi. Avait l'air seul. On aurait pu croire que les rennes seraient gras à cette époque de l'année, mais celui-ci était maigre. Maigre, gris et avec une ramure d'une envergure insensée, qui avait dû lui procurer bien des femelles autrefois, mais semblait désormais n'être qu'une gêne.

Le renne était si près que je l'entendais mastiquer. Il leva la tête et me regarda. Ou du moins regarda dans ma direction. Les rennes voient mal. Ils n'ont que leur odorat. Il me sentit.

Je fermai les yeux.

Combien de temps cela fait-il ? Deux ans ? Un ? Le gars que je devais liquider s'appelait Gustavo, et j'intervins au point du jour. Il vivait seul dans une petite maison en bois oubliée, coincée entre les immeubles de Homansbyen. Il était tombé de la neige, mais on annonçait un redoux dans la journée, et je me souviens que je me disais que mes empreintes de pas fondraient.

Je sonnai, il ouvrit, je plaquai mon pistolet contre son front. Il recula, je le suivis. Je refermai la porte derrière nous. Ça sentait le tabac et le graillon. Le Pêcheur m'avait expliqué qu'il avait découvert récemment que Gustavo, l'un de ses dealers de rue employés à titre permanent, lui avait soustrait de l'argent et de la came. Mon boulot était de le tuer, tout bonnement. Et si je l'avais fait séance tenante, les choses auraient été différentes. Mais je commis deux erreurs : je regardai son visage. Et je le laissai parler.

« Tu vas m'abattre ?

— Oui », répondis-je, au lieu de tirer.

Il avait des yeux de chien battu marron et une moustache clairsemée qui pendait tristement de part et d'autre de sa bouche.

«Combien le Pêcheur te paie-t-il?

— Suffisamment.»

J'appuyai sur la queue de détente. Sa paupière vibra. Il bâilla. J'ai entendu dire que les chiens bâillent quand ils sont nerveux. Mais la détente refusait de bouger. Faux, *mon doigt* refusait. Merde, alors. Derrière lui dans l'entrée je vis une étagère avec une paire de moufles et un bonnet en laine bleu.

«Enfile ton bonnet.

— Quoi?

— Ton bonnet en laine. Baisse-le sur ton visage. Tout de suite. Ou bien...»

Il obéit. Devint une tête de poupée moelleuse et bleue. Il avait toujours l'air misérable avec son petit bidon sous son T-shirt Esso et les bras ballants sur ses flancs. Mais je sentais que, comme ça, j'y arriverais. Tant que je n'avais pas à voir les traits de son visage. Je visai le bonnet.

«On peut partager.»

Je voyais sa bouche remuer derrière la laine.

Je tirai. J'étais tout à fait sûr d'avoir tiré. Mais je ne pouvais l'avoir fait, car j'entendais toujours sa voix :

«Si tu me laisses partir, tu auras la moitié de l'argent et des amphètes. Ça fait quatre-vingt-dix mille rien qu'en cash. Et le Pêcheur ne le découvrira pas, parce que je vais disparaître pour toujours. Partir à l'étranger, me procurer une nouvelle identité. Je le jure.»

Le cerveau est une invention curieuse et merveilleuse. Alors qu'une partie du mien savait que c'était là une idée idiote, mortellement dangereuse, une autre faisait le calcul. Quatre-vingt-dix mille. Plus trente mille de bonus. Et je n'avais pas à abattre le type.

« Si tu reparais, je suis fini, soulignai-je.

— On serait finis tous les deux. Je te donne la ceinture-portefeuille en prime. »

Merde.

« Le Pêcheur attend un corps.

— Dis que tu as dû t'en débarrasser.

— Pourquoi ? »

Sous le bonnet, le silence se fit. Pendant deux secondes.

« Parce qu'il contenait une preuve contre toi. Tu avais prévu de me tirer une balle à travers la tête, mais elle n'est pas ressortie. Ça cadre bien avec cette espèce de sarbacane que tu as là. La balle est restée dans le crâne, et elle pourrait te lier au meurtre parce que tu t'es servi de cette arme dans une autre fusillade. Donc tu as transporté mon corps dans ta voiture et tu l'as balancé dans le Bunnefjord.

— Je n'ai pas de voiture.

— Tu as pris la mienne, alors. On la laisse au bord du Bunnefjord. Tu as ton permis ? »

Je fis signe que oui. Me rendis compte qu'il ne pouvait pas voir. Me rendis compte de la mauvaise idée que c'était. Je levai de nouveau le pistolet. Mais trop tard, il avait retiré son bonnet et affichait un large sourire. Des yeux vivants. Une dent en or scintillante.

A posteriori, on peut bien entendu se demander pourquoi je ne me contentai pas d'abattre Gustavo dans le sous-sol *après* qu'il m'avait donné l'argent et la came qui étaient enfouis dans la réserve de charbon. J'aurais pu simplement éteindre la lumière et lui coller une balle dans l'occiput. Le Pêcheur aurait alors eu son corps, moi, je n'aurais pas eu seulement la moitié mais *tout* l'argent, et j'aurais évité d'avoir à me promener en me demandant quand Gustavo allait refaire irruption. Le calcul aurait dû être simple pour cette merveille qu'est le cerveau. Et il l'était. Seulement la réponse était que, pour moi, éviter de lui loger une balle dans la tête avait plus de valeur. Et que je savais qu'il lui fallait la moitié de l'argent pour avoir les moyens de partir et de rester caché. La réponse c'était que j'étais une mauviette pathétique et lâche, qui méritait toute la merde que le sort lui réservait.

Mais Anna, elle, ne l'avait pas méritée.

Anna aurait mérité mieux.

Elle aurait mérité de vivre.

Cliquetis.

J'ouvris les yeux. Le renne s'éloigna en courant.

On venait.

5

Je le vis dans les jumelles.

Il avançait en se dandinant, les jambes si courtes et arquées que la bruyère lui frottait l'entrejambe.

Je baissai la carabine.

Arrivé à la cabane, il ôta sa coiffe de bouffon pour s'éponger. Sourit.

« Là, il ferait bon boire un *viidna* glacé.

— J'ai bien peur de ne pas en avoir…

— Alcool same. Distillé par le meilleur. Tu en as deux bouteilles. »

Je haussai les épaules et nous entrâmes. J'ouvris l'une des bouteilles. Versai l'alcool limpide, à température ambiante, dans les deux tasses.

« Santé », fit Mattis en levant la sienne.

Je restai coi, me contentai d'avaler le poison.

Il m'imita. S'essuya le museau.

« Ah ! C'est du bon. »

Me tendit sa tasse.

Je le resservis.

« Tu as suivi Knut ?

— Je savais que le *viidna* n'était pas pour son

père, alors il fallait que je m'assure que le gamin n'avait pas l'intention de le boire lui-même. Il faut tout de même être un peu responsable.»

Il sourit de toutes ses dents et une sauce brune s'écoula sous sa lèvre, entre ses incisives jaunes.

«C'est donc ici que tu demeures.»

J'acquiesçai.

«Comment va la chasse?»

Je haussai les épaules.

«Pas beaucoup de lagopèdes avec le peu de souris et de lemmings qu'il y a cette année.

— Tu as une carabine. Et il n'y a pas beaucoup de rennes sauvages dans le Finnmark.»

Je bus une gorgée de ma tasse. Malgré la paralysie des papilles gustatives induite par la première lampée, c'était franchement mauvais.

«J'ai réfléchi, Ulf. À ce qu'un homme comme toi fait dans une petite cabane de Kåsund. Tu ne chasses pas. Tu ne viens pas pour trouver paix et tranquillité, tu l'aurais dit. Qu'est-ce que c'est?

— Quel temps crois-tu que nous allons avoir?»

Je le resservis.

«Plus de vent? Moins de soleil?

— Je te prie de m'excuser de te poser la question, mais est-ce que tu fuis quelque chose? La police? Tu as des dettes?»

Je bâillai.

«Comment savais-tu que la gnôle n'était pas pour le père de Knut?»

Il plissa son front bas et large.

«Hugo?

— J'ai senti l'odeur dans son atelier. Il n'est pas abstinent.

— Tu es allé dans son atelier ? Lea t'a fait entrer dans la maison ? »

Lea. Elle s'appelait Lea.

« Toi, un mécréant ? Maintenant, alors que… »

Il se retint soudain, s'éclaira, se pencha en avant et, hilare, tapa sur ma mauvaise épaule.

« Nous y voilà ! Les femmes ! C'est ça que tu es, un baiseur de femmes mariées. Tu as un mari à tes trousses, pas vrai ? »

Je me frottai l'épaule.

« Comment le sais-tu ? »

Mattis pointa le doigt sur ses yeux étroits et bridés.

« Nous, les Sames, on est des enfants de la terre, tu sais. Vous, les Norvégiens, vous suivez la voie de la raison, mais nous, nous sommes les chamans simples d'esprit qui ne comprennent pas, qui *perçoivent*, qui *voient*.

— Lea m'a juste prêté cette carabine. Jusqu'à ce que son mari rentre de la pêche au colin. »

Mattis me regarda. Ses mâchoires moulinèrent en un demi-cercle. Il but une infime gorgée de la tasse.

« Alors tu vas pouvoir la garder longtemps.

— Ah ?

— Tu te demandais comment je savais que l'alcool n'était pas pour Hugo. C'est parce qu'il ne reviendra pas de la pêche. »

Autre petite gorgée.

«On a appris ce matin que son suroît avait été retrouvé.»

Il leva les yeux vers moi.

«Lea ne t'en a rien dit? Non, elle n'a pas dû. Ça fait deux semaines que la paroisse prie pour Hugo. Alors ils croient qu'il pourra être sauvé, les læstadiens, quel qu'ait pu être le temps en mer. Toute autre chose serait sacrilège.»

J'acquiesçai. C'était ce que Knut voulait dire quand il parlait des mensonges de sa mère qui lui disait de ne pas avoir peur pour son papa.

«Mais maintenant, ce n'est plus la peine, continua Mattis. Maintenant, ils peuvent dire que Dieu leur a envoyé un signe.

— Donc l'équipe de recherche a retrouvé son chapeau ce matin?

— L'équipe de recherche?»

Mattis rit.

«Non, eux, ça fait plus d'une semaine qu'ils ont cessé de chercher. C'est un autre pêcheur qui l'a vu dériver à l'ouest de Hvassøya.»

Il remarqua mon air interrogateur.

«Ici, les pêcheurs inscrivent leur nom à l'intérieur de leur suroît. Ça flotte mieux qu'un corps. Comme ça, les proches ont une certitude.

— Tragique.»

Il regarda le plafond, l'air faussement absent.

«Oh, il doit y avoir pire tragédie que de devenir la veuve de Hugo Eliassen.

— Comment ça?

— Hm, va savoir.»

Il lança un regard éloquent sur sa tasse vide.

J'ignore pourquoi il était si avide de gnôle, il devait en avoir de pleins jerricans chez lui. C'était peut-être la matière première qui coûtait cher. Je le servis. Il s'humecta à peine les lèvres.

« Je te prie de m'excuser, fit-il avant de lâcher un vent. « Oui, déjà petits, les frères Eliassen étaient des énervés. Ils ont vite appris à se battre. Ils ont vite appris à boire. Et ils ont vite appris à obtenir ce qu'ils voulaient. Tout ça, ils l'ont appris de leur père, bien entendu. Il avait deux bateaux avec huit hommes travaillant à bord. Et puis, avec ses longs cheveux noirs et ses yeux, Lea était la plus jolie fille de Kåsund. Oui, malgré ce bec-de-lièvre. Son père, Jakob le prédicateur, la surveillait comme un joyau. Tu sais, si un læstadien baise avant le mariage, c'est droit en enfer pour tout le monde, le garçon, la fille et leur progéniture. Non que Lea n'ait pas su veiller sur elle-même. Elle est forte et sait ce qu'elle veut. Mais c'est clair, face à Hugo Eliassen… »

Il soupira lourdement. Fit tourner sa tasse dans sa main.

J'attendis jusqu'à ce que je comprenne qu'il attendait une relance.

« Que s'est-il passé ?

— Il n'y a qu'eux deux qui le sachent. Mais c'est clair, c'était un peu bizarre. Elle avait dix-huit ans et n'avait jamais regardé dans sa direction, il en avait vingt-quatre et enrageait qu'elle ne baise pas la terre qu'il foule, lui qui était tout de même l'héritier de deux bateaux de pêche. Il y a eu une beuverie chez Eliassen et une assemblée à la chapelle læstadienne. Lea est rentrée seule chez elle. C'était pendant la nuit polaire, personne n'a rien vu, mais certains disent avoir entendu les voix de Lea et Hugo, puis un cri et le silence. Quoi qu'il en soit, un mois plus tard, Hugo se tenait tiré à quatre épingles devant l'autel et observait Jakob Sara, qui y menait sa fille, avec de la glace dans le regard. Elle avait les larmes aux yeux et des hématomes sur le cou et les pommettes. Et permets-moi de le formuler ainsi, ça n'a pas été la dernière fois qu'on lui en a vu, des bleus. »

Il vida sa tasse et se leva.

« Mais qu'en sais-je, misérable Same que je suis, peut-être ont-ils été heureux avant comme après. Il doit bien y en avoir qui le sont, parce que les gens n'arrêtent pas de se marier. Et c'est pourquoi je devrais voir à me rentrer, je dois livrer de l'alcool pour le mariage à Kåsund dans trois jours. Tu viendras ?

— Moi ? J'ai bien peur de ne pas être invité, dis donc.

— Personne n'a besoin d'invitation, tout le monde est le bienvenu. Tu as déjà assisté à un mariage same ? »

Je secouai la tête.

« Alors il faut venir. Trois jours de fête, au moins. Bonne cuisine, femmes chaudes et la gnôle de Mattis.

— Merci, mais j'ai pas mal de choses à faire ici.

— Ici ? »

Il éclata de rire et mit son bonnet sous lui.

« Tu viendras, Ulf. Trois jours seul sur le plateau, c'est plus rude que tu ne crois. Le silence, ça fait quelque chose, surtout à quelqu'un qui a vécu quelques années dans la ville d'Oslo. »

Je fus frappé par l'idée qu'il savait de quoi il parlait. Sauf que je n'avais pas souvenir de lui avoir indiqué d'où je venais.

Lorsque nous sortîmes, le renne n'était qu'à dix mètres de la cabane. Il leva la tête et me regarda. Puis sembla se rendre compte de ma proximité, recula de deux pas, se tourna et partit au petit trot.

« Tu ne disais pas que les rennes étaient apprivoisés ici ?

— On n'apprivoise jamais complétement un renne, on le vole et on se l'approprie. Celui-ci aussi a un propriétaire. Les entailles sur son oreille t'indiquent qui c'est.

— Qu'est-ce que c'est que ces cliquetis quand il court ?

— C'est un ligament qui glisse sur son genou. Pratique d'avoir une alarme au cas où le mari surgirait, non ? »

Il éclata encore de rire.

Je dois admettre que cela m'avait traversé l'esprit, que le renne opérait comme chien de garde.

« On se voit à la noce, Ulf. Le mariage est à dix heures et je peux personnellement te garantir qu'il sera beau.

— Merci, mais je ne pense pas.

— Oh que si ! Adieu ! Bonne journée et au revoir. Si tu devais partir quelque part, bon vent. »

Il cracha. Un crachat si lourd que la bruyère ploya. Il riait encore alors qu'il se dandinait vers le village.

« Et si tu tombais malade, cria-t-il par-dessus son épaule, je te souhaite un bon rétablissement. »

6

Tic-tac-tic-tac.

Je scrutais l'horizon. Surtout en direction de Kåsund. Mais on pouvait aussi imaginer qu'ils aient pris le long détour par la forêt, afin de me tomber sur le dos.

Je me servais de petites rasades, vidai néanmoins une bouteille au cours des premières vingt-quatre heures. Parvins à attendre que la deuxième journée soit un peu avancée avant d'ouvrir l'autre.

Mes yeux me brûlaient de plus en plus. Quand je finis par m'allonger sur le lit et les fermer, je me fis la réflexion que si on venait, j'entendrais le ligament du renne.

En fait, ce furent les cloches de l'église que j'entendis.

Je ne compris d'abord pas ce que c'était. Cela vint avec le vent, un maigre reliquat de note. Et puis – quand la brise douce eut soufflé régulièrement du village pendant quelque temps – je les entendis bien distinctement. Des cloches. Je consultai ma montre. Onze heures. Cela signifiait-il qu'on était dimanche? Je décidai que oui et que je tiendrais dorénavant le compte des jours de la semaine. Car ils viendraient un jour de semaine.

Parfois je m'endormais. C'était inévitable. C'est pareil quand on est seul à bord d'un bateau en pleine mer, on s'endort en ne pouvant qu'espérer éviter la collision ou le chavirage. Peut-être est-ce pourquoi je rêvai que je ramais dans un bateau plein de poissons. De poissons qui devaient sauver Anna. Il y avait urgence, mais le vent de terre soufflait, et je ramais et ramais, tirais sur les avirons à m'en arracher la peau des mains et le sang m'empêchait de trouver prise, alors je déchirais ma chemise et enroulais des lambeaux de tissu autour des avirons. Je me battais contre le vent et le courant, mais ne me rapprochais pas de la terre. Alors à quoi bon avoir un bateau plein à ras bord de beaux poissons gras?

Troisième nuit. Je me réveillai en me demandant si le hurlement que j'avais entendu dans la nuit était rêve ou réalité. Dans ce dernier cas, il s'était rapproché. Le chien ou quoi que ce soit. Je sortis pisser, contemplai le soleil qui errait au-dessus du bosquet. La partie du disque solaire qui passait sous les maigres ramures avait augmenté par rapport à la veille.

Je bus un verre et pus dormir deux heures de plus.

Je me levai, fis bouillir du café, me préparai une tartine et m'assis dehors. Je ne sais pas si c'était l'huile ou l'alcool dans mon sang, mais les moustiques semblaient s'être lassés de ma personne.

J'essayai d'attirer le renne avec un croûton de pain. Je l'observai à la jumelle. La tête levée, il me rendait mon regard. Il devait me sentir aussi bien que je le voyais. Je lui fis signe. Il secoua les oreilles, mais pour le reste, son expression restait immuable. Comme le paysage. Ses mâchoires tournaient et tournaient encore, comme une bétonneuse. Ruminant. Comme Mattis.

Je continuai mon tour d'horizon avec les jumelles. Étalai de la cendre mouillée sur le viseur. Consultai ma montre. Peut-être attendaient-ils la nuit polaire pour pouvoir se faufiler jusqu'à moi sans se faire voir. Il fallait que je dorme. Il fallait que je me procure du Valium.

Il vint à la porte à six heures et demie du matin.

C'est à peine si la sonnerie me réveilla. Valium, bouchons d'oreilles. Et pyjama. Toute l'année. Le simple vitrage frêle de mes fenêtres anciennes laissait tout passer : les tempêtes d'automne, le froid d'hiver, le chant des oiseaux et, trois fois par semaine, le bruit du putain de camion d'éboueurs reculant vers l'entrée de l'immeuble, qui, évidemment, se situait juste au-dessous de la fenêtre de ma chambre à coucher au premier étage.

Dieu sait que j'avais assez dans cette foutue ceinture-portefeuille pour me procurer un double vitrage épais ou déménager au deuxième. J'avais de l'argent pour tout ce que je voulais, mais tout l'argent du monde ne pouvait pas me rendre ce que j'avais perdu. Et depuis l'enterrement, je n'avais eu la force de rien. À part changer de verrou. J'avais mis un vache de verrou allemand. Dieu seul sait pourquoi, parce que je ne m'étais jamais fait cambrioler.

Il avait l'air d'un gosse dans le costume de son père. Un cou d'oiseau décharné émergeait de sa chemise et était surmonté d'une grosse tête avec une chevelure éparse.

« Oui ?

— C'est le Pêcheur qui m'envoie.

— Ah bon. »

J'avais froid, même en pyjama.

« Et qui es-tu ?

— Je suis nouveau, je m'appelle Johnny Moe.

— D'accord, Johnny. Tu aurais attendu neuf heures, tu m'aurais trouvé dans l'arrière-boutique de la poissonnerie. Habillé et tout.

— Je suis ici au sujet de monsieur Gustavo King. »

Merde.

« Puis-je entrer ? »

Je considérai sa question tout en regardant la bosse sur le côté gauche de sa veste en tweed. Un gros pistolet. Peut-être était-ce pourquoi il portait une veste si ample.

« Juste un bref éclaircissement. Le Pêcheur insiste. »

Refuser eût été suspect. Refuser eût été vain.

« Bien sûr, fis-je en ouvrant la porte. Café ?

— Je ne bois que du thé.

— J'ai bien peur de ne pas en avoir. »

Il écarta une mèche. L'ongle de son index était long.

« Je n'ai pas dit que j'en voulais, monsieur Han-

81

sen, j'ai juste dit que je ne buvais pas de café. Est-ce le salon? Je vous en prie, après vous. »

J'entrai, ôtai quelques *MAD* et des disques de Mingus et Monica Zetterlund d'un fauteuil pour m'y asseoir. Lui s'affala à côté de la guitare, sur les ressorts défoncés du canapé. S'enfonça si bas qu'il dut déplacer la bouteille de Kalinka vide sur la table pour bien me voir. Dégager sa ligne de mire.

« Le corps de monsieur Gustavo King a été découvert hier. Mais pas dans le Bunnefjord où vous aviez dit l'avoir jeté. La seule chose qui cadrait était qu'il avait une balle dans la tête.

— Eh ben! Le corps a été déplacé? Où…

— Salvador, au Brésil. »

Je continuai de hocher lentement la tête.

« Qui…

— Moi. »

Il glissa la main droite dans sa veste.

« Avec ceci. »

Ce n'était pas un pistolet, mais un revolver. Noir, grand, horrible. Et le Valium avait cessé de faire effet.

« Avant-hier. Il était alors bien vivant. »

Je poursuivais mon lent hochement de tête.

« Comment l'avez-vous trouvé?

— Quand vous passez toutes vos soirées dans un bar de Salvador à vous vanter d'avoir berné le roi de la came de Norvège, tôt ou tard, le roi de la came de Norvège finit par en entendre parler.

— C'était stupide de sa part.

— Cela étant, nous l'aurions trouvé de toute façon.

— Même si vous le croyiez mort?

— Le Pêcheur ne cesse jamais de chercher ses débiteurs avant d'avoir vu leur cadavre. Jamais.»

Les lèvres fines de Johnny esquissèrent une possibilité de sourire.

«Et le Pêcheur trouve toujours ce qu'il cherche. Vous et moi, nous ne comprenons pas comment, mais il sait. Toujours. C'est pour cela qu'on l'appelle le Pêcheur.

— Gustavo a-t-il dit quelque chose avant que vous…

— Monsieur King a tout avoué. C'est pourquoi je lui ai tiré une balle dans la tête.

— Quoi?»

Johnny Moe fit un geste, comme un haussement d'épaules, mais à peine visible dans sa veste surdimensionnée.

«Je lui ai laissé le choix entre rapide et lent. S'il ne jouait pas cartes sur table, ce serait lent. J'imagine qu'en tant que liquidateur vous connaissez les effets d'une balle dans le ventre mal placée. Acide gastrique dans la rate et le foie…»

J'acquiesçai. Je n'avais pas la moindre idée de quoi il parlait, mais j'étais tout de même pourvu d'une certaine imagination.

«Le Pêcheur souhaitait vous offrir la même alternative.

— S-s-si j'avoue?»

Je claquais des dents.

«Si vous nous rendez l'argent et la drogue que monsieur King a volés au Pêcheur et dont vous avez reçu la moitié.»

J'acquiesçai. L'inconvénient du Valium qui n'agissait plus, c'est que j'étais terrifié, et la terreur est un état sacrément douloureux. L'avantage, c'est que, en l'espèce, j'étais en mesure d'activer mes neurones. Et je me rendis compte qu'il s'agissait là d'une reproduction de la scène-d'attaque-au-point-du-jour avec Gustavo et moi. Alors pourquoi ne pas imiter Gustavo?

« On peut partager, suggérai-je.

— Comme vous et Gustavo? Pour que vous terminiez comme lui et moi comme vous? Non merci. »

Il repoussa ses cheveux. L'ongle de son index griffa la peau de son front. M'évoqua la serre d'un hibou.

« Lent ou rapide, monsieur Hansen? »

Je déglutis. Cogitation, cogitation. Mais au lieu d'une solution, je ne voyais que ma vie – mes choix, mes mauvais choix – défiler. Dans le silence, j'entendis un moteur diesel, des voix et des rires insouciants de l'autre côté de la vitre. Les éboueurs. Pourquoi n'étais-je pas devenu éboueur? Travail honnête, nettoyer, servir l'humanité et rentrer content à la maison. Seul, mais j'aurais au moins pu aller au lit avec une certaine satisfaction. *Attendez. Au lit. Peut-être…*

« L'argent et la came sont dans ma chambre.

— Alors, allons-y. »

Nous nous levâmes.

« Je vous en prie, dit-il en me faisant signe d'avancer avec son revolver. *Age before beauty*. »

Pendant nos quelques pas dans le couloir, je visualisai la scène. J'allais me diriger vers le lit, saisir le pistolet, me retourner, ne pas regarder son visage, et juste tirer. Simple. C'était lui ou moi. Ne pas regarder son visage.

Nous étions dans la chambre. Je me précipitai vers le lit. Saisis l'oreiller. Attrapai le pistolet. Me retournai. Sa bouche s'était ouverte. Ses yeux écarquillés. Il savait qu'il allait mourir. Je tirai.

C'est-à-dire, je *voulais* tirer. Ma personne entière voulait tirer. *Avait* déjà tiré. Sauf mon index droit. Voilà que ça recommençait.

Il leva son revolver et le pointa sur moi.

«Ça, c'était idiot de votre part, monsieur Hansen. »

Pas *idiot*, pensai-je. Se procurer l'argent d'un traitement une ou deux semaines après que la maladie a atteint un point de non-retour, c'est idiot. Mélanger Valium et vodka, c'est idiot. Mais ne pas arriver à tirer quand votre propre vie est en jeu, c'est un dysfonctionnement génétique. Je suis une monstruosité de l'évolution et mon extermination séance tenante relève de l'intérêt général pour l'avenir de l'humanité.

«Balle dans la tête ou dans le ventre?

— Dans la tête », choisis-je en me dirigeant vers la penderie.

Je sortis le sac marron avec la ceinture-portefeuille et les sachets d'amphétamines. Me tournai vers lui. Vis son œil au-dessus du viseur du revolver, l'autre était fermé, la serre de hibou se recourbait autour de la queue de détente. Je m'interrogeai un instant avant de comprendre ce qu'il attendait. Les éboueurs. Il ne voulait pas qu'ils entendent le tir, or ils se trouvaient juste au-dessous de la fenêtre.

Juste au-dessous de la fenêtre.

Premier étage.

Vitres minces.

En fin de compte, mon créateur darwinien ne m'avait peut-être pas totalement oublié, car alors que je pivotais et franchissais en courant les trois pas qui me séparaient de la fenêtre, je n'avais qu'une chose en tête : survivre.

Je ne jurerais pas de l'entière exactitude des détails de ce qui suivit, mais je crois avoir tenu le sac – ou le pistolet – devant moi alors que je plongeais sur la vitre et l'éclatais comme une bulle de savon pour me trouver l'instant suivant en chute libre. Je heurtai la benne à ordures de l'épaule gauche, roulai sur moi-même, sentis la carrosserie chauffée par le soleil sous mon ventre, avant de glisser sur le flanc du camion, de retrouver mes pieds nus sous moi et d'atterrir sur l'asphalte.

Les voix s'étaient tues, et deux hommes en combinaison marron restèrent comme pétrifiés à me dévisager. Je remontai mon pantalon de pyjama qui était descendu et ramassai mon sac et mon pistolet. Levai les yeux vers ma fenêtre. Derrière une bordure de verre crénelé, Johnny me regardait.

Je lui fis un signe de tête.

Il eut un sourire en coin et porta son index à ongle long à son front. Un geste auquel j'ai par la suite toujours repensé comme à une sorte de salut : j'avais remporté cette manche. Mais nous nous reverrions.

Puis je me tournai et me mis à courir dans la rue sous le soleil bas du matin.

Mattis avait raison.

Ce paysage, ce silence, ça fait quelque chose.

J'avais vécu seul à Oslo pendant des années, mais ici, au bout de trois jours, la solitude était comme une pression, des pleurs silencieux, une soif que ni eau ni alcool ne pouvaient étancher. Alors quand je scrutai le plateau désert surmonté de la toile tendue grise d'un ciel nuageux et que même le renne était invisible, je jetai un œil à ma montre.

Le mariage. Je n'étais jamais allé à un mariage. Qu'est-ce que cela dit d'un type de trente-cinq ans? Pas d'amis? Ou juste de mauvais amis, des amis que personne ne veut avoir et encore moins épouser?

Alors, oui, je me regardai dans le seau d'eau, époussetai ma veste, enfonçai mon pistolet sous ma ceinture et cheminai vers Kåsund.

7

J'avais progressé au point de voir le village à mes pieds quand les cloches de l'église se mirent à sonner. Je pressai le pas. Le temps s'était rafraîchi. Peut-être parce que ça s'était couvert. Peut-être parce que, par ici, l'été pouvait s'achever au mois d'août.

Je ne voyais pas âme qui vive, mais plusieurs voitures étaient garées sur le chemin de terre devant l'église et j'entendais l'orgue à l'intérieur. Fallait-il en déduire que la mariée marchait déjà vers l'autel, ou cela faisait-il partie des préparatifs ? Comme je le disais, je n'avais jamais assisté à une telle cérémonie. J'observai les voitures garées pour voir si la mariée y attendait de faire son entrée. Les numéros d'immatriculation des plaques commençaient par un *Y*, pour le Finnmark. Sauf une voiture, un gros break noir qui n'avait pas de lettre devant le numéro. Une voiture d'Oslo.

Je gravis le perron de l'église et ouvris doucement la porte. Les quelques bancs étaient remplis, mais je me faufilai à l'intérieur et trouvai une place sur celui du fond. L'orgue marqua une pause et je regardai vers l'avant. Je ne voyais pas le couple de mariés, j'allais donc sûrement assister au truc entier. J'apercevais un certain nombre de costumes sames devant moi, mais pas autant que je l'attendais à un mariage same. Je reconnus deux têtes au premier rang. Les folles mèches rousses de Knut et la cascade noire scintillante de Lea. Cette dernière partiellement dissimulée par un voile. De là où je me trouvais je ne voyais pas grand-chose, mais le marié devait attendre sa promise devant l'autel avec son témoin. On toussotait, versait une larme çà et là. Cette assemblée si réservée, grave, et en même temps si facilement émue pour le couple, avait quelque chose de sympathique.

Knut se retourna. Contempla l'assistance. J'essayai de capter son regard, mais il ne me vit pas, en tout cas il ne me rendit pas mon sourire.

L'orgue se remit à jouer, et l'assistance entonna «Plus près de toi, mon Dieu…» avec une puissance stupéfiante.

Je ne m'y connais pas en cantiques, mais je trouvais le choix singulier pour un mariage. Et je ne l'avais jamais entendu chanté si lentement. Chaque voyelle était étirée à l'infini : «… plus près de toi, c'est le cri de ma foi, plus près de toi».

Au bout de grosso modo cinq vers, je fermai les yeux. Peut-être était-ce par pur ennui ou à cause de ce sentiment de sécurité au sein du troupeau après tous ces jours de veille. Quoi qu'il en soit : je m'endormis.

Et me réveillai au son de *r* grasseyés du Sørlandet.

J'essuyai la salive au coin de ma bouche. On m'avait peut-être bousculé l'épaule gauche, elle me faisait souffrir. Je me frottai les yeux. Mucus jaune sur le bout de mes doigts. Je clignai des yeux. La personne qui parlait le dialecte du Sørlandet là-bas, à l'avant, avait des lunettes, des cheveux fins ternes, et portait l'aube sous laquelle j'avais dormi.

«… Mais c'était aussi une personne qui avait ses faiblesses», disait-il.

Perrrsonne.

«Comme nous en avons tous. C'était un homme qui, quand il avait péché, pouvait fuir afin de ne pas y être confronté, qui se cachait et espérait que les problèmes disparaîtraient s'il s'absentait suffisamment longtemps. Mais nous savons tous que nous ne pouvons pas nous cacher de la sanction divine, que le Seigneur nous retrouvera toujours. En même temps, c'est l'une des brebis égarées de Jésus, quelqu'un qui a perdu son troupeau, mais que Jésus-Christ secourra et sauvera par sa miséricorde si, à l'heure de la mort, le pécheur demande le pardon du Seigneur.»

Ceci n'était pas une homélie nuptiale. Et je ne voyais toujours pas de couple de mariés. Je me redressai sur le banc et tendis le cou. Et alors je le vis, juste devant l'autel. Un cercueil noir.

«Pourtant, en partant dans sa dernière expédition, c'était peut-être l'oubli qu'il espérait. Que l'échéance de la dette passerait, qu'on tirerait un trait sur ses fautes sans qu'il ait besoin de payer. Mais il a été rattrapé, comme nous le serons tous. »

Je me tournai vers la sortie. La porte était flanquée de deux hommes, les mains jointes devant eux. Ils avaient tous deux le regard braqué sur moi. Costumes noirs. Tenues de liquidateurs. Le break d'Oslo dehors. Je m'étais fait avoir. On avait envoyé Mattis à la cabane pour m'attirer hors de ma forteresse et me faire descendre au village. À un enterrement.

« Et c'est pourquoi nous nous tenons aujourd'hui à côté de ce cercueil vide… »

Mon enterrement. Un cercueil vide qui n'attendait que moi.

La sueur perla sur mon front. Quel était leur plan, comment la chose allait-elle se produire ? Attendraient-ils la fin de la cérémonie ou allais-je me faire liquider ici, devant tout le monde ?

Je glissai une main dans mon dos, y sentis le pistolet. Devais-je essayer de m'enfuir en tirant ? Ou donner l'alerte, me lever, pointer le doigt sur les deux hommes à la porte en criant que c'étaient des tueurs d'Oslo, envoyés par un marchand de drogue ? Mais à quoi bon si les fidèles étaient venus de leur plein gré assister aux funérailles d'un sudiste étranger ? Le Pêcheur avait dû les payer, même Lea, ils l'avaient entraînée dans cette conspiration. Ou alors, si c'était vrai, ce qu'elle disait, qu'on ne pensait pas tellement aux biens terrestres dans le bourg, les hommes du Pêcheur avaient peut-être lancé une rumeur à mon sujet, s'étaient fait passer pour des agents de police et avaient raconté que j'étais Satan en personne. Dieu seul sait comment ils y étaient parvenus, mais moi, je savais qu'il fallait que je déguerpisse.

Du coin de l'œil, je vis que les liquidateurs s'étaient tournés l'un vers l'autre et se parlaient en murmurant. C'était l'occasion. Je mis la main autour de la crosse du pistolet, tirai l'arme de ma ceinture et me levai. Je n'avais qu'à faire feu tout de suite, pour ne pas leur laisser le temps de se tourner vers moi, pour m'éviter de voir leurs visages.

« … de Hugo Eliassen, qui est parti en mer malgré les prévisions de mauvais temps. Pour pêcher le colin, disait-il. Ou pour fuir les comptes qu'il avait à rendre. »

Je me laissai choir sur le banc. Parvins à fourrer le pistolet sous ma ceinture.

« Il ne nous reste qu'à espérer que, en chrétien, il soit tombé à genoux dans son bateau et ait demandé grâce, demandé pardon, demandé qu'on le laisse entrer au paradis. Vous êtes plusieurs ici qui connaissiez Hugo mieux que moi, mais ceux à qui j'ai parlé pensent qu'il l'a fait, car c'était un homme qui craignait Dieu, et je crois que Jésus, le Berger, l'a entendu et ramené dans le troupeau. »

C'est alors seulement que je sentis mon cœur, combien il battait fort, au point que je pensai qu'il allait exploser hors de ma poitrine.

Une voix recommença à chanter.

« Voir la grande nuée blanche. »

Quelqu'un me tendit un livre de cantiques de Landstad ouvert, désigna une page jaunie et me fit un signe de tête amical. Je chantai à partir du deuxième couplet. Par pur soulagement et reconnaissance, je louai la Providence car j'allais pouvoir vivre au moins encore un peu.

Debout devant l'église, je regardais le break noir s'éloigner avec le cercueil.

« Bon, bon, fit un homme d'un certain âge qui s'était posté à mes côtés. Mieux vaut une tombe mouillée que pas de tombe du tout.

— Hm-hm.

— Vous devez être l'homme qui vit dans la cabane de chasse, dit-il en me considérant les paupières plissées. Alors ? Vous avez eu des perdrix des neiges ?

— Pas beaucoup.

— Non, on aurait entendu tirer. Le son porte bien par ce temps. »

J'acquiesçai.

« Pourquoi le corbillard est-il immatriculé à Oslo ?

— Ah, c'est Aronsen, ce m'as-tu-vu. Il a acheté la voiture là-bas, et puis il doit trouver que ça fait mieux. »

Lea était sur le perron avec un homme de grande taille aux cheveux clairs. Le cortège des condoléances s'était rapidement écoulé. Avant même que le véhicule soit hors de vue, elle toussota.

« Bon, vous êtes tous invités chez nous pour le café et une commémoration. Merci d'être venus et bon retour. »

Je fus frappé par l'idée que cette image d'elle debout auprès de cet homme avait quelque chose de singulièrement familier, comme si je l'avais déjà vue. Il y eut un coup de vent et le grand chancela légèrement.

«Qui est l'homme à côté de la veuve? demandai-je.

— Ove? C'est le frère du défunt.»

Évidemment. La photo de mariage. Elle avait dû être prise précisément ici, sur le perron de l'église.

«Son frère jumeau?

— Jumeau en tout, répondit le vieux. Bon, on va se prendre un peu de café et de gâteau?

— Avez-vous vu Mattis?

— Quel Mattis?»

Il y en avait donc plus d'un.

«Vous voulez dire Mattis-la-gnôle?»

Pas plus d'un, non.

«Aujourd'hui, il doit être au mariage de Migal à Ceavccageadge.

— Pardon?

— La plaine de Transtein.»

Il pointa le doigt en direction de la mer, où je me souvenais que se trouvait le ponton.

«Les païens y exercent le culte de leurs faux dieux. Pouah! On y va, alors?»

Il y eut un blanc et je crus déceler des tambours, de la musique. Du tapage. De l'alcool. Des femmes.

Je me tournai, vis le dos de Lea, qui commençait déjà à remonter vers la maison. Sa main ferme autour de celle de Knut. Le frère du mort et les autres les escortaient, mais à distance, en procession muette. Je tournai ma langue dans ma bouche.

Encore desséchée par le sommeil. D'avoir eu si peur. D'avoir bu toute cette gnôle, peut-être.

« Un peu de café, ce serait sans doute bon, oui », acquiesçai-je.

La maison paraissait plus spacieuse quand elle était pleine de monde.

J'avançai à coups de signe de tête entre des inconnus qui me suivaient du regard avec leurs questions non articulées. Tous les autres ici semblaient se connaître. Je la trouvai dans la cuisine, où elle coupait des parts de gâteau.

« Toutes mes condoléances. »

Elle regarda ma main tendue, passa le couteau dans sa main gauche. Pierre chauffée par le soleil. Son regard ne cillait pas.

« Merci. Comment ça va à la cabane ?

— Bien, merci, j'y retourne. Je voulais juste vous présenter mes condoléances, comme je n'ai pas pu le faire à l'église.

— Ne partez pas tout de suite, Ulf. Prenez un peu de gâteau. »

Je jetai un œil sur le gâteau. Je n'aimais pas les gâteaux. N'avais jamais aimé. Ma mère disait que j'étais un enfant étrange.

« Bon, bon, fis-je. Je vous remercie. »

Les gens s'étaient attroupés derrière nous et j'emportai mon assiette dans le salon. Je finis à la fenêtre, où, écrasé par l'intensité de toute cette attention muette, je me mis à regarder le ciel, comme si je m'inquiétais à l'idée qu'il se mette à pleuvoir.

«La paix de Dieu.»

Je me retournai. Hormis la tache de gris aux tempes, l'homme devant moi avait les cheveux noirs de Lea. Et son regard direct, courageux. Je ne savais trop que répondre. Répéter «La paix de Dieu» eût sonné faux, mais «Salut» était résolument informel, frisait l'insolence. J'échouai donc sur un «Je vous souhaite le bonjour» compassé, même si pareil vœu de bonheur n'était nullement de circonstance.

«Je suis Jakob Sara.

— Julf... euh, Ulf Hansen.

— Mon petit-fils m'informe que vous racontez des blagues.

— Ah bon?

— Mais il n'a pas su me dire quelle profession vous exerciez. Ni ce que vous faisiez à Kåsund. Juste que vous aviez la carabine de mon gendre. Et que vous n'étiez pas un homme croyant.»

Je fis un signe de tête qui ne voulait rien dire, le genre de hochement qui n'est ni infirmation ni confirmation, mais qui indique qu'on entend ce qui se dit, et engouffrai un gros morceau de gâteau pour gagner quelques secondes de réflexion. Je mastiquai tout en continuant de hocher la tête.

«Et ce n'est d'ailleurs pas mon affaire, continua l'homme. Ni *ça* ni la question de savoir combien de temps vous comptez rester ici. Mais que vous aimez la tarte aux amandes, ça, je le vois.»

Je déglutis péniblement alors qu'il me regardait durement droit dans les yeux. Puis il posa une main sur mon épaule douloureuse.

«N'oubliez pas, jeune homme, que la grâce de Dieu est illimitée.»

Il s'interrompit un instant et je sentis la chaleur de sa main dévorer l'étoffe et entrer dans ma peau.

«Presque.»

Il me sourit et partit parler à d'autres endeuillés, j'entendais leurs «paix de Dieu» murmurés.

«Ulf?»

Je n'eus pas besoin de me retourner pour savoir qui c'était.

«On joue à cache-cache secret?»

Il leva les yeux vers moi, le visage grave.

«Dis, Knut, je…

— S'il te plaît!

— Hm.»

Je baissai les yeux sur les restes de gâteau.

«C'est quoi, cache-cache secret?

— Un cache-cache où aucun adulte ne peut voir qu'on joue à cache-cache. On n'a pas le droit de courir, de crier ou de rire, et on n'a pas le droit de se cacher dans des endroits farfelus. On y joue quand il y a des assemblées. C'est marrant, hein. Et je peux compter le premier.»

Je regardai autour de moi. Il n'y avait aucun autre enfant ici, juste Knut. Seul à l'enterrement de son père. Cache-cache secret. Et comment.

«Je compte jusqu'à trente-trois, chuchota-t-il. À partir de maintenant.»

Il se tourna vers le mur, prétendit regarder la photo de mariage de ses parents, pendant que je posais mon assiette et me frayais discrètement un passage hors du salon, dans le couloir. Jetai un œil dans la cuisine, mais Lea n'y était plus. Je sortis. Le vent se levait. Je passai devant l'épave de voiture. Vis quelques gouttes de pluie vibrer sur le pare-brise dans les rafales. Fis le tour de la maison. M'adossai à la façade arrière, sous la fenêtre ouverte de l'atelier. Allumai une cigarette.

Ce n'est que lorsque le vent tomba que j'entendis les voix dans l'atelier.

« Lâche-moi, Ove ! Tu as bu, tu ne sais pas ce que tu dis.

— Ne résiste pas comme ça, Lea. Tu ne vas pas porter le deuil très longtemps, ce n'est pas ce que voulait Hugo.

— Tu ne sais pas ce que Hugo voulait !

— Je sais en tout cas ce que *moi*, je veux. Ai toujours voulu. Et toi aussi, tu le sais.

— Maintenant, tu me lâches, Ove. Ou je crie.

— Comme tu as crié cette nuit-là avec Hugo ? »

Rire rauque, alcoolisé.

« Tu fais beaucoup de bruit, Lea, mais au final, tu t'inclines et tu obéis à tes hommes. Comme tu as obéi à Hugo, comme tu as obéi à ton père. Et comme tu vas m'obéir.

— Jamais !

— C'est comme ça que nous procédons dans cette famille, Lea. Hugo était mon frère, maintenant il n'est plus là, et Knut et toi, vous êtes donc sous ma responsabilité.

— Ove, ça suffit maintenant.

— Demande donc à ton père. »

Il y eut un blanc et je m'interrogeai sur l'opportunité de me manifester.

Je restai immobile.

«Tu es veuve et mère, Lea. Sois raisonnable, maintenant. Hugo et moi partagions tout dans la vie, c'est ce qu'il aurait voulu, je te promets. Et c'est ce que *moi*, je veux. Allez, viens maintenant, laisse-moi… aïe! Putain de bonne femme!»

Une porte claqua.

J'entendis d'autres jurons marmonnés. Quelque chose tomba par terre. Au même instant, Knut arriva au coin. Il ouvrit une bouche béante et je me préparai pour le cri qui allait me trahir.

Mais le cri ne vint pas, il n'y eut que cette version de film muet.

Cache-cache secret.

Je balançai ma cigarette, m'empressai de le rejoindre avec un geste résigné des bras. L'emmenai vers le garage.

«Je compte jusqu'à trente-trois», déclarai-je en me tournant vers la Coccinelle rouge de sa mère.

J'entendis son pas de course et la porte qui s'ouvrait.

Lorsque j'eus fini de compter, j'entrai.

Elle était seule dans la cuisine en train d'éplucher des pommes de terre.

«Coucou», lançai-je doucement.

Elle leva les yeux. Ses joues étaient rouges, ses yeux brillants.

«Désolée, fit-elle en reniflant.

— On aurait pu vous aider à faire le dîner aujourd'hui.

— Oh, ils se sont proposés, tous autant qu'ils sont. Mais c'est mieux de s'activer, je crois.

« — Oui, peut-être bien. »

Je m'installai à la table de la cuisine. Sentis qu'elle se raidissait un peu.

« Vous n'avez pas besoin de dire quoi que ce soit, précisai-je. Je voulais juste m'asseoir un peu avant de partir, et là-bas… enfin, je n'ai pas grand-chose dont parler avec qui que ce soit.

— À part Knut.

— Oh, il assure la majeure partie de la conversation. Un garçon intelligent. Il a beaucoup réfléchi pour son âge.

— Il a aussi eu beaucoup de matière à réflexion. »

Elle passa le revers de sa main sous son nez.

« Oui. »

Je sentais que j'allais dire quelque chose, que les mots étaient en route, c'était juste que je ne savais pas encore vraiment ce qu'ils seraient. Quand ils vinrent, ce fut comme s'ils s'étaient constitués d'eux-mêmes, comme si je ne les maîtrisais pas, et pourtant ils étaient nés de la logique la plus limpide.

« Si vous avez envie d'être seule avec Knut, mais que vous craignez de ne pas vous en sortir, j'aimerais vous aider. »

Je regardai mes mains. Entendis l'épluchage cesser.

« Je ne sais pas combien de temps il me reste à vivre. Et je n'ai plus de famille. Aucun héritier.

— Que dites-vous, Ulf ? »

Oui, que disais-je, au juste ? Ces pensées s'étaient-elles formées pendant les quelques minutes qui s'étaient écoulées entre le moment où je m'étais trouvé sous la fenêtre et maintenant ?

« Juste que si je disparaissais, il vous faudrait regarder dans la cabane, derrière la planche détachée à gauche du placard. Derrière la mousse. »

Elle avait laissé tomber son économe dans l'évier. Me considéra, l'expression soucieuse.

« Vous êtes malade, Ulf ? »

Je secouai la tête.

Elle m'observa avec son regard bleu de mer. Le regard qu'Ove avait vu et dans lequel il s'était noyé. Bien sûr qu'il s'y était noyé.

« Alors je trouve que vous ne devriez pas penser à ces choses-là. Knut et moi, nous nous en sortirons, ne vous inquiétez pas pour cela non plus. Si vous avez de l'argent à dépenser, il y a des gens moins bien lotis que nous dans le village. »

J'eus chaud aux joues. Elle me tourna le dos, reprit son épluchage. Ne s'arrêta qu'en entendant ma chaise racler.

« Mais merci beaucoup d'être venu, dit-elle. Knut a été content de vous voir.

— Merci à vous, répondis-je en me dirigeant vers la porte.

— Et...

— Oui ?

— Il va y avoir une assemblée ici dans deux jours. À six heures. Comme je vous le disais, vous êtes chaleureusement le bienvenu. »

Je trouvai Knut dans ce que je compris être sa chambre. Ses jambes maigres dépassaient sous le lit. Il avait mis des chaussures de foot au moins deux pointures trop grandes. Je le tirai tandis qu'il pouffait. Le hissai sur le lit.

« J'y vais maintenant.

— Déjà ? Mais…

— Tu as un ballon de foot ? »

Il hocha la tête, mais avait une mine boudeuse.

« C'est bien, parce que comme ça tu vas pouvoir t'entraîner contre le mur du garage. Trace un cercle, tire aussi fort que tu peux, amortis le ballon quand il revient. Fais-le mille fois et tu seras bien meilleur que tous les autres de l'équipe quand ils reviendront à la fin de l'été.

— Je ne suis pas dans l'équipe.

— Eh bien, comme ça tu seras pris.

— Je ne suis pas dans l'équipe parce que je n'ai pas le droit.

— Pas le droit ?

— Maman voudrait que je puisse, mais grand-père dit que le sport détourne l'attention de Dieu, que le dimanche, les autres peuvent crier, brailler et courir après un ballon, mais que pour nous cette journée appartient au Verbe.

— Je comprends, mentis-je. Et qu'en disait ton père ? »

Le garçon haussa les épaules.

« Rien.

— Rien ?

— Il s'en fichait. La seule chose dont il ne se fichait pas, c'était… »

Knut se tut. Il avait les larmes aux yeux. Je passai mon bras autour de ses épaules. N'avais pas besoin d'entendre. Car je savais. Je les connaissais, les Hugo, certains avaient été mes clients. Et moi aussi, j'aimais ce voyage, j'avais besoin de cette fuite. C'était juste qu'assis là à sentir le garçon s'appuyer contre moi, les pleurs muets qui vibraient dans son corps chaud, je songeai que *ça*, ça devait tout de même être quelque chose qu'un père n'était pas capable de quitter, ne *voulait* pas fuir. Que c'était une bénédiction et une malédiction qui vous ligotaient au gouvernail. Mais qui étais-je donc pour avoir une opinion sur le sujet, moi qui – volontairement ou non – avais abandonné le bateau dès avant qu'elle naisse ? Je lâchai Knut.

« Tu viendras à l'assemblée ? me demanda-t-il.

— Je ne sais pas. Mais j'ai un autre travail pour toi.

— Ouais !

— C'est comme le cache-cache secret, ça consiste à ne pas parler, à qui que ce soit.

— Ouais ! Ouais !

— À quelle fréquence le car passe-t-il ?

— Quatre fois. Deux du sud, deux de l'est. Deux le jour, deux la nuit.

— Bien. Je veux que tu sois présent quand le car de jour du sud arrive. Et si quelqu'un que tu ne connais pas descend, tu viens directement me trouver. Tu ne cours pas, tu ne cries pas, tu ne parles pas. Même chose s'il arrive une voiture immatriculée à Oslo. Tu comprends ? Je te donne cinq couronnes chaque fois.

— Comme une… mission d'espionnage ?

— Quelque chose comme ça, oui.

— C'est les gens qui vont t'apporter ton fusil ?

— On se voit bientôt, Knut. »

Je lui ébouriffai les cheveux et me levai.

En sortant, je croisai le grand aux cheveux clairs, il titubait hors des toilettes. J'entendis le bouillonnement de la chasse d'eau derrière lui, il s'évertuait encore à boucler sa ceinture. Il leva la tête et me regarda. Ove Eliassen.

« La paix de Dieu », dis-je.

Je sentis dans mon dos son lourd regard lessivé à la gnôle.

Je m'arrêtai un peu plus bas sur la route. Le bruit de tambours flottait avec le vent. Mais j'avais manifestement assouvi ma faim, et mon besoin de voir du monde. Maintenant je pouvais bien passer un moment seul.

« Bon, ma foi, je crois que je vais rentrer pleurer comme une Madeleine », disait parfois Toralf dans la soirée.

Cela faisait toujours rire les autres leveurs de chopes. Que ce fût exactement ce que Toralf faisait était une autre histoire.

« Mets ton type en colère, pouvait-il lancer quand nous étions de retour chez nous. Et on va faire la descente. »

Je ne sais pas s'il aimait réellement Charles Mingus, ni aucun de mes autres disques de jazz, du reste, ou s'il voulait juste avoir la compagnie d'un autre affligé. Mais il nous arrivait à Toralf et moi d'entrer dans la nuit noire en même temps.

« *Là*, on est tristes ! » remarquait-il alors.

Nous appelions cela le trou noir. J'avais lu qu'un

gars du nom de Finkelstein avait découvert la présence dans l'espace de trous qui aspiraient tout ce qui approchait trop près, y compris la lumière, des trous si noirs qu'il était impossible de les observer à l'œil nu. Car c'était exactement ça. Vous ne voyiez rien, vous vous en sortiez bien, et puis un jour vous sentiez physiquement que vous étiez arrivé dans cette espèce de champ gravitationnel, et que vous n'aviez pas la moindre chance, vous vous faisiez aspirer dans le trou noir du désespoir. Et là, tout était inversé, vous vous demandiez ce qui pouvait en fait être espéré, quelles raisons vous auriez de ne *pas* être désespéré. C'était un trou où vous ne pouviez que vous armer de patience, mettre un disque d'une autre âme dépressive, «l'homme en colère» du jazz, Charles Mingus, en espérant ressortir de l'autre côté, comme une putain d'Alice dans le terrier du lapin. Car, d'après Finkelstein et ces gens-là, il en allait peut-être exactement ainsi, il existait peut-être une sorte de pays des merveilles inversé de l'autre côté du trou noir. Je ne sais pas, mais je pense que c'est là une religion aussi bonne et vraisemblable qu'une autre.

Je regardai dans la direction du sentier. Le paysage qui avait l'air de s'élever et de s'évanouir dans la couverture nuageuse. De disparaître. De cesser. Quelque part là-dedans commençait la longue nuit.

8

Bobby était l'une des filles du parc du palais. Elle avait de longs cheveux bruns, des yeux tendres et elle fumait du hasch. La description est très superficielle, certes, mais ce sont les premières choses qui me viennent. Elle ne parlait pas tellement, mais fumait beaucoup, et ça lui donnait le regard doux. Nous étions assez semblables. Elle s'appelait en fait Borgny et venait d'une riche famille des quartiers ouest. C'est-à-dire pas tout à fait aussi riche que le laissait entendre Bobby, c'est juste qu'elle aimait l'idée de la hippie rebelle qui rejette la sûreté sociale, la sécurité économique et le politiquement bourgeois pour… oui, pour quoi donc ? Pour tester quelques représentations naïves de la façon de vivre sa vie, d'élargir sa conscience et de rompre avec les conventions surannées. Comme celle selon laquelle quand un homme et une femme ont un enfant ensemble, cela entraîne une certaine responsabilité des deux parties. Je l'ai dit, nous nous ressemblions pas mal.

Nous étions assis dans le parc à écouter un type

jouer une version ratée de *The Times They Are A-Changin'* sur une guitare mal accordée quand Bobby m'annonça qu'elle était enceinte. Et qu'elle était passablement sûre que j'étais le père.

«Cool, on va devenir parents, répondis-je, m'efforçant de n'avoir pas l'air de m'être pris un seau d'eau glacée sur la tête.

— Il te suffit de payer une pension alimentaire.

— Mais je suis là, tu sais. Nous sommes deux dans cette histoire.

— Deux, c'est exact. Mais pas nous deux.

— Ah? Quels… deux, alors?

— Ingvald et moi.»

Elle désigna du menton le gars à la guitare.

«On est ensemble maintenant, et il m'a dit qu'il voulait bien être père. Enfin, tant que tu paies une pension.»

Il en fut ainsi. C'est-à-dire qu'Ingvald ne traînait plus dans les parages. À la naissance d'Anna, Bobby fréquentait un autre type avec un nom en *I*, Ivar, je crois. Je pouvais voir Anna à intervalles très irréguliers, mais il ne fut jamais question que je la garde. Je ne croyais pas non plus le vouloir, pas alors. Ce n'était pas que je ne me souciais pas d'elle, j'étais tombé fou amoureux dès l'instant où je l'avais vue pour la première fois. Elle me regardait en gazouillant dans son landau avec une lueur bleue dans les yeux, et j'avais beau ne pas la connaître, elle était aussitôt devenue ce que j'avais de plus précieux.

C'était peut-être ça, justement. Elle qui était si petite et vulnérable était également si irremplaçable que je ne voulais pas l'avoir seul. Je ne pouvais pas. N'osais pas. Car je commettrais une erreur, quelque chose d'irréparable, d'une manière ou d'une autre, j'infligerais à Anna des séquelles durables, j'en étais sûr. Ce n'est pas que je sois une personne irresponsable et sans égards, c'est juste que la faculté de juger sainement me fait défaut. C'est pourquoi j'étais toujours prêt à suivre n'importe quel conseil d'étranger et laisser les décisions importantes à d'autres. Même quand je savais que l'autre – Bobby, en l'occurrence – n'était pas plus apte que moi. Le mot que je cherche est sans doute *lâche*. Je me tenais donc à carreau, vendais du hasch, passais une fois par semaine chez Bobby avec la moitié de l'argent, et contemplais alors la lueur bleue magique des yeux rieurs d'Anna et pouvais peut-être la tenir dans mes bras le temps d'un café si Bobby était entre deux mecs.

Je déclarai à Bobby que si elle restait à l'écart du parc et de la came, j'allais moi-même me tenir à l'écart des flics en civil, du Pêcheur, des problèmes. Anna et elle n'avaient pas les moyens que je finisse en cage. Je l'ai dit, les parents de Bobby n'étaient pas riches, mais ils étaient tout de même suffisamment empreints de pharisaïsme bourgeois pour avoir clairement averti qu'ils ne voulaient rien avoir à faire avec leur fille hippie et dévergondée qui fumait du haschich, et que cette affaire, il fallait qu'elle et le père de l'enfant – avec l'aide de l'État si nécessaire – s'en débrouillent seuls.

Puis vint le jour où Bobby déclara que putain, elle ne supportait plus cette mioche. Anna avait pleuré, saigné du nez et eu de la fièvre pendant quatre jours consécutifs. Quand je baissai les yeux sur son lit, le bleu de la lueur dans son regard était remplacé par celui de ses cernes, elle était pâle, avait aux genoux et aux coudes des hématomes d'une étendue surprenante. Je l'emmenai aux urgences, et trois jours plus tard vint le diagnostic. Leucémie aiguë. Route à sens unique vers la mort. Les médecins lui donnaient quatre mois. Tout le monde affirma que c'étaient des choses qui arrivaient, la foudre qui frappait arbitrairement, sans merci, sans intention.

J'enrageai, interrogeai, téléphonai, vérifiai, consultai, et pus finalement établir qu'il existait un traitement de la leucémie en Allemagne. Il était loin de sauver tous les patients et coûtait de surcroît une fortune, mais il procurait une chose : de l'espoir. L'État norvégien avait le bon sens d'avoir d'autres choses à quoi dépenser son argent que les espoirs ténus, et les parents de Bobby décrétèrent que c'était le destin, éventuellement l'affaire du système de santé norvégien, ils ne paieraient pas pour une cure imaginaire au pays des nazis. Je fis mes calculs. Même en multipliant par cinq mes ventes de shit, je ne réunirais pas assez à temps. J'essayai tout de même, travaillais dix-huit heures par jour et dealais comme un malade, migrais dans la nuit vers la cathédrale, quand la fréquentation du parc du palais déclinait. Lors de ma visite suivante à l'hôpital, on me demanda pourquoi aucun de nous n'était venu depuis trois jours.

« Bobby n'est pas venue ? »

L'infirmière et le médecin secouèrent la tête, expliquèrent qu'ils l'avaient appelée, mais que Televerket semblait lui avoir coupé le téléphone.

Quand j'arrivai chez Bobby, elle était alitée et se disait malade, soutenait que c'était ma faute si elle n'avait pas eu de quoi payer la facture de téléphone. J'allai aux toilettes et m'apprêtais à jeter un mégot dans la poubelle quand je découvris le coton sanglant. Plus bas, je trouvai la seringue. Peut-être avais-je plus ou moins pensé que cela arriverait, j'avais vu des âmes plus fragiles que Bobby franchir cette frontière.

Alors que fis-je ?

Je ne fis rien.

J'abandonnai Bobby sur place, essayai de me persuader qu'Anna était mieux auprès des infirmières que de sa mère ou de son père, vendis du hasch et économisai pour ce foutu traitement miracle auquel je me forçais à croire parce que l'autre possibilité était intolérable, parce que ma peur que la petite fille avec un phare dans le regard meure était de toute façon pire que ma propre angoisse de la mort. Parce que nous prenons le réconfort là où nous pouvons le trouver : dans une revue médicale allemande, dans une seringue d'héroïne, dans un livre avec un appendice relativement récent qui promet la vie éternelle à la condition de se soumettre au nouveau sauveur qui vient d'être présenté. Je vendais donc du haschich, comptais l'argent, comptais les jours.

Voilà où j'en étais quand je reçus l'offre d'emploi du Pêcheur.

Deux jours. Les nuages étaient bas, mais ne lâchaient pas de pluie. La terre tournait, mais je ne voyais pas le soleil. Les heures étaient, dans la mesure du possible, plus monotones encore. J'essayais de les chasser en dormant, mais sans Valium c'était tout bonnement infaisable.

Je devenais fou. Encore plus fou. Knut avait raison. *Rien de pire qu'une balle dont on ne sait pas quand elle va arriver.*

Dans la soirée, j'en eus assez.

Mattis m'avait expliqué que les noces duraient trois jours.

Je me baignai dans le ruisseau. Je ne remarquais plus les moustiques, je m'énervais seulement quand je m'en prenais dans les yeux ou la bouche, ou sur ma tartine. Et je n'avais plus de douleur à l'épaule. Curieusement, à mon réveil le lendemain de l'enterrement, elle s'était volatilisée. J'avais réfléchi, essayé de me souvenir si j'avais fait quelque chose de particulier, mais n'avais rien trouvé.

Après mon bain, je rinçai ma chemise, l'essorai et l'enfilai. J'espérais qu'elle serait à peu près sèche quand j'arriverais dans le bourg. J'envisageai de prendre le pistolet, mais décidai finalement de le laisser, et le cachai derrière la mousse avec la ceinture-portefeuille. Je regardai la carabine et la boîte de munitions. Songeai à ce qu'avait dit Mattis. Que la seule raison pour laquelle les gens ne volaient pas à Kåsund était qu'il n'y avait rien à voler. L'espace derrière la planche ne pouvant accueillir la carabine, je l'emballai dans un reste de feutre de toiture bitumé, qui se trouvait sous le lit superposé, et la glissai sous quatre grosses pierres au bord du ruisseau.

Puis je partis.

L'air avait quelque chose de lourd qui appuyait sur les tempes. Comme si un orage couvait. Les célébrations étaient peut-être terminées. La gnôle bue. Les femmes disponibles prises. Mais en approchant, j'entendis les tambours de l'avant-veille. Je passai devant l'église en direction du ponton. Suivis le bruit.

Je quittai la route, marchai vers l'est, montai sur une hauteur. Devant moi, le désert rocheux gris d'une péninsule s'étirait vers le bleu acier de la mer. Au début de la péninsule, juste à mes pieds, s'étendait une plaine où ils dansaient. Un grand feu brûlait à côté d'une pierre de cinq, six mètres de haut qui émergeait du sol et ressemblait à un obélisque. Elle était ceinte de deux cercles de pierres plus petites. Lesquelles n'avaient aucune symétrie visible, pas de motif reconnaissable, mais évoquaient néanmoins la charpente d'une construction inachevée. Ou, plus exactement, une construction qui se serait effritée, aurait été démolie ou brûlée. Je descendis dans leur direction.

« Salut ! me lança un grand blond en costume same qui pissait dans la bruyère à la lisière de la plaine. Qui es-tu ?

— Ulf.

— Le sudiste ! Mieux vaut tard que jamais. Bienvenue ! »

Il se secoua la bite, projetant des gouttes çà et là, la fourra dans son pantalon et me tendit la main.

« Kornelius, cousin issu de germain de Mattis ! Eh oui. »

J'eus un moment d'hésitation avant de lui serrer la main.

« C'est donc ça, la pierre de Tran, dis-je. Est-ce des ruines de temple ?

— Transteinen ? »

Le Kornelius en question secoua la tête.

« Cette pierre, c'est Beaive-Vuolab qui l'a lancée ici.

— Ah bon ? Et qui est-ce ?

— Un Same passablement fort. Un demi-dieu sans doute. Non, quart ! Un quart-de-dieu.

— Hm. Et pourquoi les quarts-de-dieu lancent-ils des pierres par ici ?

— Pourquoi lance-t-on des pierres lourdes ? Pour frimer, pardi ! »

Il rit.

« Pourquoi n'es-tu pas venu plus tôt, Ulf ? La fête se termine.

— Je me suis trompé de chemin, je croyais que le mariage était célébré à l'église.

— Chez les superstitieux ? »

Il sortit une flasque.

« Mattis marie les couples bien mieux que n'importe quel luthérien anémique.

— Ah oui ? Et au nom de quels dieux cela se passe-t-il ? »

Les yeux plissés, je regardai le feu et la grande table. Une fille en robe verte avait cessé de danser et m'observait avec curiosité. Même de loin, je voyais qu'elle avait le corps fuselé.

« Dieux ? Pas de dieu, il les marie au nom de l'État norvégien.

— Il en a l'autorité ?

— Eh oui. C'est l'une des trois personnes du village à l'avoir. »

Kornelius leva son poing serré et déplia ses doigts un par un :

« Le prêtre, le juge suppléant et le capitaine de marine.

— Eh ben ! Donc Mattis est aussi capitaine de marine ?

— Mattis ? »

Kornelius rit et but un coup à sa flasque.

« Il a l'air d'un Same marin ? Tu l'as vu marcher ? Non, c'est Eliassen senior le capitaine, et il ne peut marier les gens que sur ses bateaux, où jamais une femme n'a mis les pieds. Eh oui.

— Qu'est-ce que tu veux dire quand tu me demandes si j'ai vu Mattis marcher ?

— Il n'y a que les Sames nomades qui aient les jambes si arquées, pas les Sames marins.

— Ah bon ?

— Le poisson. »

Il me tendit la flasque.

« Sur le plateau, ils ne mangent pas de poisson. Ne consomment pas d'iode. Leurs os ramollissent. »

Il écarta les genoux pour illustrer son propos.

« Et toi, tu es…

— Same pour de faux. Mon père est de Bergen, mais ne le dis à personne. Surtout pas à ma mère. »

Il rit, et je ne pus que rire aussi. La gnôle était encore pire que celle que m'avait fournie Mattis.

«Alors qu'est-ce qu'il est? Prêtre?

— Presque, répondit Kornelius. Il est parti à Oslo faire des études de théologie. Mais il a cessé de croire. Alors il a bifurqué vers le droit. Et travaillé comme juge suppléant à Tromsø pendant trois ans. Eh oui.

— Ne le prends pas mal, Kornelius, mais si je ne m'abuse, à peu près quatre-vingts pour cent tout rond de ce que tu m'as raconté jusque-là, c'est des mensonges.»

Il prit une mine stupéfaite.

«Non, merde! D'abord Mattis a perdu la foi en Dieu. Puis il a perdu la foi dans l'État de droit. Et maintenant, il ne croit qu'au titrage des alcools.»

Kornelius éclata de rire et me tapa si fort dans le dos que le breuvage faillit remonter. Ce qui du reste ne m'aurait pas gêné outre mesure.

«C'est quoi, cette saloperie? demandai-je en lui rendant sa flasque.

— Du *raikas*. Lait de renne fermenté.»

Il secoua tristement la tête.

«Mais les jeunes d'aujourd'hui ne veulent que des boissons gazeuses, du coca. Des scooters des neiges, des hot-dogs. La gnôle, la pulka et la viande de renne, tout ça, bientôt, ce sera terminé. Nous sommes en perdition. Eh oui.»

Il but une gorgée pour se réconforter puis revissa le bouchon.

«Hé hé, voilà Anita.»

Je vis la fille en robe verte approcher, comme

virevoltant par hasard vers nous, et me redressai par réflexe.

«Allons, allons, Ulf, fit Kornelius à voix basse. Laisse-la te lire l'avenir, mais pas plus.

— Lire l'avenir?

— Clairvoyante. C'est une authentique chamane. Mais tu ne veux pas ce qu'elle veut.

— Qui est?

— Je pense que tu le vois d'ici.

— Hm. Pourquoi? Elle est mariée? Fiancée?

— Non, mais tu ne veux pas de ce qu'elle a.

— Ce qu'elle a?

— Ce qu'elle a et répand.»

Je hochai lentement la tête.

Il posa une main sur mon épaule.

«Mais amuse-toi donc, Kornelius n'est pas rapporteur.»

Il se tourna vers la fille.

«Salut, Anita!

— Au revoir, Kornelius.»

Il rit et s'en alla. La fille se posta devant moi, me sourit la bouche fermée. En nage et toujours essoufflée d'avoir dansé. Elle avait deux boutons rouge flamboyant sur le front, des pupilles comme des têtes d'épingle et une sauvagerie dans le regard qui parlait une langue claire. Came, probablement du speed.

«Salut», dis-je.

Elle ne répondit pas, se contenta de m'inspecter des pieds à la tête.

Je basculai le poids de mon corps sur mon autre jambe.

«Tu as envie de moi?» s'enquit-elle.

Je secouai la tête.

«Pourquoi?»

Je haussai les épaules.

«Tu m'as pourtant l'air d'un homme en bonne santé. Qu'est-ce qui ne va pas?

— J'ai cru comprendre que tu savais lire ces choses-là sur les gens.»

Elle rit.

«C'est Kornelius qui t'a dit ça? Oui, Anita sait lire. Et elle a lu que tu avais suffisamment envie il y a deux secondes. Qu'est-ce qui s'est passé? Tu as pris peur?

— Ce n'est pas toi, c'est moi, j'ai un soupçon de syphilis.»

Elle rit et je compris pourquoi elle souriait sans découvrir les dents.

«J'ai des capotes.

— C'est plus qu'un soupçon, en fait. Ma bite est tombée.»

Elle fit un pas en avant. Mit la main sur mon entrejambe.

«Ce n'est pas l'effet que ça me fait. Allez viens, maintenant, j'habite derrière l'église.»

Je secouai la tête, saisis son poignet.

«Ras le bol de ces putains de sudistes! cracha-t-elle en arrachant sa main. Qu'est-ce qu'il y a de mal à baiser un peu? On va bientôt mourir, vous êtes pas au courant?

— Si, j'ai entendu les rumeurs.»

Je cherchai du regard une retraite adaptée.

«Tu ne me crois pas. Regarde-moi. *Regarde*-moi, j'ai dit!»

Je la regardai.

Elle sourit.

«Oh, oui, Anita a bien vu. Tu as la mort dans les yeux. Ne te détourne pas! Anita voit que tu vas tirer sur le reflet. Oui, tirer sur le reflet.»

Une petite alarme s'était déclenchée dans ma tête.

«De quels putains de sudistes parlais-tu?

— Ben, de toi.

— De quels *autres* sudistes?

— Il ne m'a pas donné son nom.»

Elle me prit la main.

«Mais maintenant j'ai lu ton avenir, donc tu...»

Je me libérai.

«À quoi ressemblait-il?

— Hé, tu *as* peur.

— À quoi ressemblait-il?

— Pourquoi est-ce si important?

— S'il te plaît, Anita.

— Oui, oui, calme-toi. Un homme maigre. Coupe de nazi. Bizarroïde. L'ongle de son index était long.»

Merde. *Le Pêcheur trouve toujours ce qu'il cherche. Vous et moi, nous ne comprenons pas comment, mais il sait. Toujours.*

Je déglutis.

«Quand l'as-tu rencontré?

— Là, tout de suite, juste avant que tu arrives. Il est monté au village, devait parler à quelqu'un, m'a-t-il dit.

— Que voulait-il?

— Il cherchait un autre sudiste du nom de Jon. C'est toi?»

Je secouai la tête.

«Je m'appelle Ulf. Qu'a-t-il dit d'autre?

— Rien. Il m'a laissé son numéro de téléphone au cas où j'apprendrais quelque chose, mais c'était un numéro d'Oslo. Pourquoi me tannes-tu avec ça?

— C'est juste que j'attends quelqu'un qui doit m'apporter mon fusil, mais ça ne devait pas être lui.»

Johnny Moe était donc là. Et j'avais laissé mon pistolet dans la cabane. J'étais allé là où je n'étais pas en sûreté en m'abstenant de prendre la seule chose qui aurait pu me rendre la vie plus sûre. Parce que j'avais pensé que ça pourrait me compliquer la tâche si je rencontrais une femme et que je devais me déshabiller. Et voilà que j'en avais rencontré une et que je ne voulais plus me déshabiller. Y a-t-il un niveau *au-dessous* d'imbécile? Curieusement, j'étais plus furieux qu'apeuré. J'aurais dû avoir plus peur. Il allait m'abattre. Je me cachais ici parce que je voulais survivre, non? Alors secoue-toi, bordel, et cherche à survivre un peu!

«Tu disais que tu habitais derrière l'église?»

Son visage s'illumina.

«Oui, ce n'est pas loin.»

Je jetai un œil sur le chemin. Il pouvait revenir à tout moment.

«On peut prendre un raccourci par le cimetière pour que personne ne nous voie?

« — Pourquoi est-ce que personne ne doit nous voir ?

— Je pense juste à… euh, ta réputation.

— Ma réputation. »

Elle souffla par le nez.

« Tout le monde sait qu'Anita aime les hommes.

— OK, la mienne, alors. »

Elle haussa les épaules.

« Soit, si tu es si prout-prout. »

Il y avait des rideaux dans cette maison.

Et une paire de chaussures d'homme dans l'entrée.

« Qui…

— Mon père, expliqua Anita. Et ce n'est pas la peine de chuchoter, il dort.

— N'est-ce pas dans ces cas-là qu'on chuchote, d'habitude ?

— Tu as encore peur ? »

Je regardai les chaussures. Elles étaient plus petites que les miennes.

« Non.

— Bien. Viens… »

Nous allâmes dans sa chambre. Elle était exiguë et le lit prévu pour une personne. Une personne mince. Elle passa sa robe par-dessus sa tête. Me poussa sur le lit, déboutonna mon pantalon, l'ôta avec mon slip d'un seul et même geste. Puis elle dégrafa son soutien-gorge et se coula hors de sa culotte. Sa peau était pâle, presque blanche, avec çà et là des marques rouges et des égratignures. Mais aucune piqûre. Elle était belle. Ce n'était pas ça.

Elle s'assit sur le lit et me regarda.

«Tu pourrais peut-être ôter ta veste?»

Alors que je l'enlevais et la suspendais avec ma chemise sur la seule chaise de la pièce, j'entendis ronfler dans la chambre voisine. Inspiration dure, râpeuse, expiration chevrotante, comme un pot d'échappement troué. Elle ouvrit le tiroir de sa table de chevet.

«Plus de capotes. Bon alors, tu feras attention, parce que je ne veux pas de gosse.

— Je ne sais pas faire attention, répondis-je rapidement. Je n'y suis jamais arrivé. Peut-être qu'on devrait juste... euh, se câliner un peu?

— Se câliner?»

Elle prononça le mot comme si c'était une abomination.

«Papa a des capotes.»

Elle sortit de la pièce, nue, j'entendis la porte de la chambre voisine s'ouvrir, les ronflements s'empâter et changer de vitesse plusieurs fois avant de reprendre comme avant. Quelques secondes plus tard, elle revint en fouillant dans un portefeuille marron défraîchi.

«Tiens», fit-elle en me lançant un bout de plastique carré sur les genoux.

Le plastique était un peu usé sur les bords, je cherchai une éventuelle date de péremption, mais n'en trouvai aucune.

«Je ne peux pas avec une capote, je n'y arrive pas.

— Oh que si, fit-elle en s'emparant de ma bite ratatinée.

— Désolé. Qu'est-ce que tu fais ici, à Kåsund, alors, Anita?

— La ferme.

— Hm. Il lui faudrait peut-être un peu de… euh, d'iode?

— La ferme, j'ai dit.»

Je regardai la petite main qui croyait manifestement pouvoir réaliser des miracles. Songeai à l'endroit où pouvait être Johnny. Dans un si petit village, il ne devait pas être difficile de dénicher quelqu'un pour l'informer que le nouvel arrivant du sud logeait dans la cabane de chasse. C'était là et à la noce qu'il chercherait. Kornelius avait promis de la boucler. Tant que j'étais ici, j'étais en sécurité.

«Eh bien, que voyons-nous là?» chantonna Anita d'un ton satisfait.

Stupéfait, je contemplai le miracle. Ce devait être une quelconque réaction de stress, j'avais lu que les hommes pendus avaient parfois des érections. Sans lâcher ni s'interrompre, elle attrapa l'emballage de la main gauche, le déchira avec ses dents, en aspira le préservatif et arrondit ses lèvres en *o* autour. Puis elle parut plonger à pic, et lorsqu'elle releva la tête, j'étais en tenue et prêt au combat. Elle recula sur le lit et écarta les jambes.

«Je veux juste dire que…

— Tu n'as toujours pas fini de parler, Ulf?

— … je n'aime pas me faire jeter dehors juste après. C'est une question de respect de soi, si tu…

— Boucle-la et dépêche-toi donc pendant que tu peux encore.

— Tu promets?»

Elle soupira.

«Contente-toi de baiser Anita comme il faut, maintenant.»

Je rampai sur le lit. Elle m'aida à me positionner. Je fermai les yeux et enfilai bon train, ni trop vite ni trop lentement. Elle gémit et jura, mais d'une manière que je perçus comme encourageante. Faute d'un autre métronome, je ne tardai pas à me caler sur le rythme des ronflements de la chambre voisine. Sentis le crescendo. Je m'efforçai de ne pas penser à la qualité du préservatif ou à ce que donnerait un croisement entre Anita et moi.

Soudain, elle se figea et tous les sons qu'elle produisait cessèrent.

J'interrompis mes emboutissages, crus qu'elle avait entendu un bruit, une irrégularité dans les ronflements de son père ou quelque chose qui approchait de la maison. Je retins mon souffle et tendis l'oreille. La scie ronfleuse me paraissait tout aussi régulière qu'auparavant.

Puis soudain le corps féminin sous moi se relaxa totalement. Je la considérai avec inquiétude. Ses paupières étaient closes, elle avait l'air inanimée. Je plaçai délicatement le pouce et l'index sur son cou, cherchai son pouls. Ne le trouvai pas. Merde, où était son pouls, était-elle…?

Puis un son bas s'échappa de sa bouche. D'abord un grognement. Qui monta. Pour devenir quelque chose de familier. Inspiration râpeuse, expiration de pot d'échappement troué.

Ouaip, c'était bien la fille de son père.

Je me coinçai entre la petite femme et le mur, je

sentais le papier peint froid dans mon dos et le bois du lit contre ma hanche. Mais j'étais en sécurité. Pour l'instant.

Je fermai les yeux. Deux pensées m'avaient effleuré. Que l'envie de Valium ne m'avait *pas* effleuré. Et *tu vas tirer sur le reflet*.

Puis je voguai vers le pays des rêves.

9

Quand je vis le père d'Anita à la table du petit déjeuner, il correspondait plutôt bien au personnage que j'avais inconsciemment imaginé sur la foi de ses ronflements. Velu, relativement gras et bourru. Même son maillot de corps, il me semblait l'avoir entendu dans ses ronflements.

« Alors ? me demanda-t-il d'un ton abrupt, avant d'écraser son mégot sur sa tartine à moitié mangée. Tu m'as l'air d'avoir besoin de café.

— Merci », répondis-je, soulagé, en m'asseyant en face de lui à la table en formica.

Il m'observa. Puis dirigea son regard sur le journal, lécha la pointe de son crayon et fit un signe de tête vers la cafetière sur la cuisinière.

« Va donc te servir toi-même. Tu ne peux pas et baiser ma fille et te faire servir. »

J'acquiesçai et trouvai une tasse dans le placard. Me servis du café bien noir en jetant un œil par la fenêtre. Toujours nuageux.

Le père avait les yeux rivés sur son journal. Dans le silence, j'entendais le ronflement bas d'Anita.

Mon bracelet-montre indiquait neuf heures et quart. Johnny était-il toujours dans le village, ou avait-il continué son chemin pour chercher ailleurs?

Je bus une gorgée de café. Eus le sentiment que j'aurais dû le mastiquer avant d'avaler.

«Donne-moi…»

Le père leva les yeux vers moi.

«… un autre mot pour castration.»

Je l'observai à mon tour.

«Mutilation.»

Il regarda le journal. Compta.

«Avec un seul *l*?

— Oui.

— Oui, peut-être bien.»

Il humecta son crayon et remplit les cases.

J'avais enfilé mes chaussures dans l'entrée et m'apprêtais à sortir quand Anita déboucha de sa chambre. Pâle et nue, les cheveux en bataille, le regard dément. Elle me prit dans ses bras, me serra.

«Je ne voulais pas te réveiller, articulai-je en tentant vainement de gagner la porte.

— Tu reviendras?»

Je me penchai en arrière, la regardai. Elle devait savoir que je savais. Qu'ils n'avaient pas l'habitude de revenir. Mais elle voulait quand même savoir. Ou ne pas savoir.

«Je vais essayer.

— Essayer?

— Oui.

— Regarde-moi. *Regarde-moi!* Tu promets?

— Bien entendu.

— Tu l'as dit, Ulf. Tu as *promis*. Et personne ne

promet rien à Anita sans le tenir, compris ? J'ai ton âme en gage maintenant. »

Je déglutis. Hochai la tête. Techniquement, je n'avais rien promis d'autre qu'*essayer*. *Essayer* d'avoir le temps et l'envie, par exemple. Je parvins à libérer mon bras et atteignis la poignée de la porte.

Je fis un long détour jusqu'à la cabane. Passai derrière la colline au nord-est pour arriver par le bosquet. Me faufilai entre les arbres.

Le renne frayait sur un coin de la cabane. Il n'aurait pas osé approcher si près s'il y avait eu quelqu'un à l'intérieur. Je gagnai néanmoins le ruisseau dans la plus grande discrétion et le longeai plié en deux, jusqu'à l'emplacement où j'avais caché la carabine. Enlevai les pierres, déroulai le feutre bitumé, vérifiai que l'arme était chargée et marchai vite vers la cabane.

Le renne resta à humer l'air avec intérêt dans ma direction. Dieu seul sait ce qu'il sentait. J'entrai.

Il y avait eu du passage.

Johnny était venu.

Je parcourus la pièce du regard. Pas grand-chose n'avait changé. La porte du placard était entrebâillée, alors que je la fermais complètement à cause des souris. Le sac en cuir vide dépassait un peu du lit du dessus, et il y avait de la cendre sur la poignée de porte intérieure. Je tordis la planche à côté du placard, enfonçai mon bras derrière. Respirai avec soulagement en sentant le pistolet et la ceinture-portefeuille. Puis je m'assis sur une chaise et essayai de réfléchir à ce qu'il avait pu penser.

Le sac lui avait confirmé que j'étais venu ici. Mais l'absence de l'argent, de la drogue et de toute autre de mes possessions lui indiquait que j'avais peut-être quitté les lieux, que je m'étais procuré un sac à dos ou autre bagage plus commode. Ensuite, il avait glissé la main dans le poêle à bois pour sentir s'il était encore chaud, pour se faire une idée de l'avance que je pouvais avoir.

Voilà jusqu'où je parvenais à suivre son raisonnement. Et maintenant ? Allait-il continuer son chemin s'il n'avait aucune idée d'où j'avais pu partir ni de comment j'avais quitté Kåsund ? Ou attendait-il mon retour, caché dans les parages ? Mais n'aurait-il pas alors été plus attentif à dissimuler ses traces, afin que je ne me doute de rien ? Enfin, attendez, *là* j'étais en train de penser que l'évidence des traces signifiait qu'il avait dû repartir – et c'était ce qu'il voulait !

Merde.

Je saisis les jumelles. Les fis glisser sur l'horizon que je connaissais maintenant dans ses moindres détails. J'étais à la recherche de quelque chose, de quelque chose qui ne s'y était pas trouvé auparavant. Je scrutai. Je me concentrai.

Recommençai l'opération.

Au bout de quelques heures vint la lassitude. Mais je ne voulais pas préparer de café et laisser ainsi la fumée signaler à des kilomètres à la ronde que j'étais de retour.

Si seulement il se mettait à pleuvoir, si seulement ces nuages pouvaient lâcher de l'eau, si seulement cela pouvait se *produire*, cette foutue attente me rendait fou.

Je reposai les jumelles. Fermai les yeux.

J'allai jusqu'au renne.

Il m'observa, sur ses gardes, mais ne bougea pas. Je lui caressai les bois.

Puis je grimpai sur son dos.

« Hue ! »

Il fit quelques pas. D'abord hésitants.

« Oui ! »

Puis plus décidés. Plus rapides. Vers le village. Ses genoux cliquetaient, de plus en plus vite, comme un compteur Geiger à l'approche d'une bombe atomique.

L'église avait brûlé. Évidemment, les Allemands étaient venus. Avaient traqué les résistants. Mais les ruines étaient toujours là, fumantes et chaudes. Pierres et cendres. Et entre les pierres noires, ils dansaient, nus pour certains d'entre eux. Ils dansaient à une cadence effrénée malgré la lenteur coriace du chant du prêtre. Son aube blanche était noire de suie, et devant lui se tenaient les mariés, elle vêtue de noir, lui de blanc, des sabots en bois au calot. Le chant se tut et je chevauchai plus près.

« Au nom de l'État norvégien, je vous déclare époux légitimes », annonça-t-il, puis il cracha du brun sur le crucifix accroché à côté de lui, leva un maillet de juge et l'abattit sur la balustrade d'autel calcinée. Une fois. Deux fois. Trois fois.

Je me réveillai en sursaut. Restai assis la tête contre le mur. Merde, ces rêves m'épuisaient.

Mais les coups continuaient.

Mon cœur cessa de battre et je fixai la porte.

La carabine était appuyée au mur.

Je l'attrapai sans quitter ma chaise. Mis la crosse sur mon épaule, et ma joue sur la crosse. Mon doigt sur la queue de détente. Pris une respiration – je compris alors que je l'avais retenue.

Deux autres coups.

Puis la porte s'ouvrit.

Le ciel s'était dégagé. Et le soir était tombé. La porte donnait sur l'ouest et le personnage dans l'embrasure avait le soleil dans le dos, si bien que tout ce que je voyais était une silhouette sombre sur fond de collines douces, auréolée de soleil orange.

« Vous allez m'abattre ?

— Désolé, m'excusai-je en abaissant la carabine. J'ai cru que c'était une perdrix. »

Son rire était profond et tranquille, mais son visage se trouvant dans l'ombre, je ne pus qu'imaginer le chatoiement de son regard.

10

Johnny était parti.

«Il a pris le car vers le sud aujourd'hui», annonça Lea.

Elle avait envoyé Knut chercher du bois et de l'eau. Elle voulait un café et se faire expliquer pourquoi un sudiste était venu s'enquérir auprès d'elle de l'endroit où je me trouvais.

Je haussai les épaules.

«Il y a beaucoup de sudistes. A-t-il dit ce qu'il voulait?

— Il a dit qu'il aurait bien voulu vous parler. D'affaires.

— Ah bon. Était-ce Johnny? L'air d'un échassier?»

Elle ne répondit pas, se contenta de rester assise en face de moi à la table en essayant de capter mon regard.

«Il a appris que vous logiez dans la cabane de chasse et s'est fait indiquer le chemin. Mais vous n'y étiez pas, et comme on lui avait aussi raconté que vous étiez venu chez moi après l'enterrement, il a dû penser que je savais peut-être quelque chose.

— Et qu'avez-vous répondu?»

Je la laissai attraper mon regard. La laissai l'examiner. J'avais beaucoup à cacher et pourtant rien.

Elle soupira :

«J'ai répondu que vous étiez reparti dans le Sud.

— Pourquoi?

— Parce que je ne suis pas idiote. Je ne sais pas et ne veux pas savoir dans quel genre de problèmes vous vous trouvez, mais je ne veux pas qu'il se passe encore plus de mauvaises choses par ma faute.

— *Plus* de mauvaises choses?»

Elle secoua la tête. Ce qui pouvait signifier qu'elle s'était mal exprimée, que j'avais mal compris, ou qu'elle ne voulait pas en parler. Elle regarda par la lucarne. Dehors, nous entendions les coups de couteau enthousiastes de Knut.

«D'après ce type, vous vous appelez Jon, pas Ulf.

— Avez-vous jamais cru que c'était Ulf?

— Non.

— Et cependant vous l'avez envoyé dans la mauvaise direction. Vous avez menti. Que dit votre Livre à ce sujet?»

Elle fit un signe de tête en direction des coups.

«Lui dit que nous devons veiller sur vous. Le Livre aussi dit quelque chose à ce propos.»

Nous restâmes un moment sans parler. Moi, avec les mains sur la table, elle, avec les siennes sur les genoux.

«Merci de vous être occupé de Knut pendant la commémoration.

132

— Je vous en prie. Comment prend-il les choses ?

— Bien, en fait.

— Et vous ? »

Elle haussa les épaules.

« Nous, les femmes, on s'en sort toujours. »

Knut avait cessé de fendre du bois. Il n'allait pas tarder à revenir. Elle se tourna de nouveau vers moi. Jamais je n'avais vu un tel spectre de couleurs dans un regard, une telle intensité corrosive.

« J'ai changé d'avis, Ulf. Je veux savoir ce que vous fuyez.

— Votre premier mouvement était sans doute plus sage.

— Dites-le.

— Pourquoi ?

— Parce que je crois que vous êtes une bonne personne. Et pour les bonnes personnes, il y a toujours une rémission des péchés.

— Et si vous vous trompiez, si je n'étais pas une bonne personne ? Alors je brûlerais dans votre enfer ? »

La question eut une consonance plus amère que je ne l'aurais voulu.

« Je ne me trompe pas, Ulf, parce que je vous vois. Je vous vois. »

J'inspirai. Je ne savais pas encore si les mots sortiraient de ma bouche. Je regardai ses yeux, bleus, bleus comme la mer à vos pieds quand vous avez dix ans, que vous êtes sur la falaise et que tout en vous veut sauter, sauf vos jambes, qui ne bougent pas.

« J'avais pour travail de recouvrer des dettes de

drogue et de tuer des gens, m'entendis-je débiter. J'ai volé de l'argent à mon employeur et maintenant il me traque. J'ai en outre impliqué Knut là-dedans, votre fils de dix ans. Je le paie pour espionner. Enfin, même pas, il n'est payé que s'il a effectivement quelque chose de suspect à rapporter. Par exemple, s'il a vu des types qui n'hésiteraient pas à tuer un gosse si c'était nécessaire.»

Je sortis une cigarette de mon paquet.

«Où j'en suis pour ce pardon?»

Elle ouvrait la bouche quand Knut entra.

«Voilà! fit-il en lâchant le bois sur le sol devant le poêle. Et maintenant, j'ai faim.»

Lea me regarda.

«J'ai des boulettes de poisson en conserve.

— Beurk, répondit Knut. On ne pourrait pas plutôt manger du cabillaud frais?

— J'ai bien peur de ne pas en avoir ici.

— Pas ici. En mer. On va pêcher. On peut, maman?

— C'est le milieu de la nuit», objecta-t-elle doucement.

Son regard restait braqué sur moi.

«C'est le meilleur moment pour pêcher! s'exclama Knut en faisant des bonds. S'il te plaît, maman!

— Nous n'avons pas de bateau, Knut.»

Une seconde s'écoula avant qu'il intègre son propos. Je regardai Knut. Son visage s'assombrit. Puis il s'éclaira de nouveau.

«On peut prendre celui de grand-père. Il est dans l'abri à bateaux, il m'a dit que j'avais le droit.

134

— Ah bon?

— Oui! Cabillaud! Cabillaud! Pas vrai que tu aimes le cabillaud, Ulf?

— J'adore le cabillaud, dis-je en rendant son regard à Lea. Mais je ne sais pas si ta mère en a envie maintenant.

— Oh que si, elle en a envie. Hein, maman?»
Elle ne répondit pas.

«Maman?

— Laissons Ulf décider.»

Le garçon s'insinua entre la table et ma chaise pour que je sois obligé de le regarder.

«Ulf?

— Oui, Knut?

— Tu pourras avoir la langue.»

L'abri à bateaux se trouvait à quelques centaines de mètres du ponton. L'odeur d'algues décomposées et d'eau saline réveilla en moi quelques vagues réminiscences d'été. Une histoire de tête engoncée dans un gilet de sauvetage un peu trop petit, un cousin qui se la joue parce qu'ils sont plus riches, ont un bateau et un chalet, et un oncle au crâne écarlate qui jure parce qu'il n'arrive pas à démarrer le moteur hors-bord.

Il faisait sombre et ça sentait bon le goudron dans l'abri. Ce dont nous avions besoin en matière d'équipement de pêche se trouvait dans le bateau, dont la quille était posée sur un rail en bois.

«N'est-ce pas un très gros bateau à rames?»
J'estimai sa longueur à cinq ou six mètres.

«Oh, ce n'est guère qu'un *færing* moyen, répondit Lea. Venez, ici, tout le monde doit pousser.

— Celui de papa était bien plus gros, ajouta Knut. Un *fembøring*. Avec un mât.»

Nous mîmes le bateau à l'eau et je parvins à monter à bord sans trop me mouiller les jambes.

Je plaçai les avirons entre les tolets et entrepris de ramer à coups énergiques, mais tranquilles. Je me souvenais que j'avais fait en sorte de devenir meilleur rameur que mon cousin le seul été où, moi le pauvre parent orphelin, j'avais été invité chez eux. Pourtant il me semblait remarquer que Lea et Knut n'étaient pas impressionnés.

Une fois que nous eûmes avancé un peu, je rentrai les rames.

Knut crapahuta jusqu'à la proue, se pencha par-dessus bord, lança sa ligne et la regarda fixement. Je vis son regard s'éloigner, son imagination s'envoler.

«Un chouette garçon», observai-je en ôtant la veste que j'avais trouvée suspendue à un crochet dans l'abri à bateaux.

Elle hocha la tête.

Il n'y avait pas de vent, et la mer – ou l'océan, comme l'appelaient Lea et Knut – brillait comme la surface d'un miroir, comme une terre ferme sur laquelle nous aurions pu marcher vers le bout de soleil rouge qui dépassait à l'horizon.

«Knut prétend que vous n'avez personne qui vous attende chez vous.»

Je secouai la tête.

«Non, heureusement.

— Ce doit être bizarre.

— Quoi donc?

— De n'avoir personne. Personne qui pense à vous. Personne qui veille sur vous. Sur qui vous veillez.

— J'ai essayé, répondis-je en dégageant l'hameçon d'une ligne de traîne. Et je n'y suis pas arrivé.

— Vous n'êtes pas arrivé à avoir une famille?

— Je ne suis pas arrivé à veiller sur elles. Je ne suis pas – comme vous avez dû le comprendre – un homme sur qui on peut compter.

— Je vous entends le dire, Ulf, mais je ne sais pas si c'est vrai. Que s'est-il passé?»

Je décrochai l'hameçon.

«Pourquoi continuez-vous de m'appeler Ulf?

— C'est comme ça que vous m'avez dit vous appeler, alors c'est comme ça que vous vous appelez. Jusqu'à ce que vous vouliez vous appeler autrement. Tout le monde devrait pouvoir changer de nom de temps à autre.

— Et depuis combien de temps vous appelez-vous Lea?»

Elle cligna d'un œil.

«Vous demandez son âge à une femme?

— Je ne voulais pas…

— Vingt-neuf ans.

— Hm. Lea, c'est un joli nom, aucune raison d'en chang…

— Ça veut dire "vache", coupa-t-elle. Je voulais m'appeler Sara. Ça veut dire "princesse". Mais mon père a décrété que je ne pouvais pas m'appeler Sara Sara. Moyennant quoi, ça fait vingt-neuf ans qu'on me traite de vache. Qu'en dites-vous?

— Eh bien… »

Je réfléchis.

« Meuh ? »

D'abord, elle me considéra d'un air incrédule. Puis elle se mit à rire. Son rire profond. Une houle lente. À la proue, Knut se retourna.

« Qu'est-ce qui se passe ? Il a raconté une blague ?

— Oui, répondit-elle sans me lâcher du regard. Apparemment.

— Raconte !

— Tout à l'heure. »

Elle se pencha vers moi.

« Alors, qu'est-ce qui s'est passé ?

— Passé, passé. »

Je lançai ma ligne.

« Je suis arrivé trop tard. »

Elle plissa le front.

« Trop tard pour quoi ?

— Pour sauver ma fille. »

L'eau était si limpide que je voyais le chatoiement de la cuiller qui sombrait de plus en plus profond. Jusqu'à ce qu'elle disparaisse hors de ma vue dans les ténèbres verdâtres.

« Quand j'ai enfin eu l'argent, elle était déjà dans le coma. Elle est morte trois semaines après que j'avais réuni ce que coûtait le traitement en Allemagne. Non que ç'aurait fait une grande différence, il était trop tard, du moins c'est ce qu'ont dit les médecins. Mais le truc, c'est que je n'ai pas réussi à faire ce que je devais. J'ai failli. C'est en quelque sorte le leitmotiv de ma vie. Mais je n'aurais pas cru

138

que je n'allais pas réussir à… que je n'allais même pas y arriver quand…»

Je reniflai. Je n'aurais peut-être pas dû enlever la veste, on était tout de même presque au pôle Nord. Je sentis quelque chose sur mon avant-bras. Mes poils se hérissèrent. Un effleurement. Je ne me souvenais pas de la dernière fois qu'une femme m'avait touché. Puis je me rappelai que ça remontait à moins de vingt-quatre heures. Au diable ce bourg, ces gens, ces histoires.

«C'est cet argent-là que vous avez volé, n'est-ce pas?»

Je haussai les épaules.

«Vous l'avez volé pour votre fille même si vous saviez qu'ils vous tueraient s'ils vous trouvaient.»

Je crachai par-dessus bord pour briser cette foutue surface.

«Ça sonne bien, présenté comme ça. Disons plutôt que je suis le père qui a attendu qu'il soit trop tard pour faire quelque chose pour sa fille.

— Mais de toute façon, il était trop tard, c'est ce que les médecins ont dit, non?

— Ils l'ont dit, mais ils ne *savaient* pas. Personne ne *sait*. Pas moi, pas vous, pas le prêtre, pas les athées. Alors nous croyons. Parce que c'est mieux que de se rendre à l'évidence qu'il n'y a qu'une seule chose qui nous attend dans les profondeurs, et c'est l'obscurité, le froid. La mort.

— Vous le pensez vraiment?

— Et vous, croyez-vous vraiment qu'il y ait des portes du paradis avec des anges et un gars du nom de saint Pierre? Enfin non, ça vous ne le croyez pas, c'est une secte environ dix mille fois plus grande que la vôtre qui croit aux saints. Et ses membres pensent que si vous ne croyez pas exactement ce qu'ils croient, eux, dans les détails, vous irez en enfer. Ouais, les catholiques pensent que vous autres luthériens allez descendre au sous-sol. Et vous, vous croyez que c'est eux qui vont y aller. Ma parole, vous avez eu un sacré bol d'être née près du pôle Nord parmi ceux qui ont la foi juste et pas en Italie ou en Espagne. Le chemin du salut aurait été long. »

Voyant la ligne ramollir, je tirai. Il y eut une secousse, l'hameçon était visiblement accroché, ça ne devait pas être profond. Je tirai vivement, le fil se détacha de ce qui le retenait.

« Vous êtes en colère, Ulf.

— En colère ? Je suis totalement furieux. Si votre dieu existe, pourquoi joue-t-il ainsi avec l'humanité, pourquoi laisse-t-il certains naître pour souffrir et d'autres vivre dans l'abondance, certains avoir une chance de trouver la foi censée les sauver, tandis que la majorité n'entend jamais la parole divine ? Pourquoi fallait-il qu'il… pourquoi a-t-il dû…

— Prendre votre fille ? » demanda-t-elle délicatement.

Je clignai des yeux.

« Il n'y a rien en bas. Que l'obscurité, la mort et…

— J'en ai un ! » s'exclama Knut.

Nous nous tournâmes vers lui. Il remontait déjà sa ligne. Lea prodigua une dernière caresse à mon avant-bras, puis elle me lâcha et se pencha vers le bord.

Nous scrutions l'eau, attendions que ce qu'il avait sur son hameçon apparaisse. Pour une quelconque raison, je songeai à un chapeau ciré jaune. Et soudain, j'eus un pressentiment. Non, c'était plus qu'un pressentiment. Je le savais avec certitude : il allait revenir. Je fermai les yeux. Oui, je le voyais tout à fait distinctement à présent. Johnny allait revenir. Il savait que j'étais toujours ici.

«Haha!» jubilait Knut.

Quand j'ouvris les paupières, je vis un grand cabillaud sauter au fond de la barque. Il avait les yeux exorbités, comme s'il ne croyait pas ce qui lui arrivait. Et c'était évident, il n'avait pas envisagé les choses ainsi.

11

Nous ramâmes jusqu'à un îlot où la quille frotta doucement contre le sable fin. Deux ou trois cents mètres séparaient ses courbes douces du continent ténébreux qui plongeait à pic des collines de bruyère vers la mer. Knut ôta ses chaussures, barbota dans l'eau et amarra la barque à une pierre. J'offris à Lea de la porter au bord, mais elle se contenta de sourire en me retournant la proposition.

Knut et moi allumâmes un feu pendant que Lea vidait et nettoyait le cabillaud.

« Un jour, on en a pris tellement qu'on a dû aller chercher la brouette pour vider le bateau », raconta Knut.

Il se léchait déjà les babines.

Pour ma part, je n'ai pas souvenir d'un tel amour du poisson quand j'étais gosse. Peut-être parce qu'il était essentiellement servi frit ou pané ou sous forme de boulettes dans une sauce blanche qui ressemblait à du sperme.

« Et en plus, il y a beaucoup à manger », commenta Lea en enveloppant le poisson entier de papier aluminium avant de poser la papillote directement sur les flammes. « Dix minutes. »

Manifestement exalté par la perspective de manger, Knut se jeta sur mon dos.

« Match de lutte ! s'écria-t-il en se cramponnant à moi alors que je me levais. Mort au sudiste !

— Moustique sur l'échine ! »

Je m'ébrouai tant et si bien qu'il était balancé d'avant en arrière comme un cow-boy au rodéo et finit par échouer dans le sable en poussant des glapissements de joie.

« Si on lutte, il faut le faire correctement, déclarai-je.

— Ouais ! C'est quoi correctement ?

— Sumo ! »

Je pris un bâton et traçai un cercle dans le sable fin.

« Le premier qui fait sortir l'autre du cercle a gagné. »

Je lui montrai la cérémonie préalable à chaque combat, comment nous devions nous accroupir l'un en face de l'autre en dehors du cercle et taper dans nos mains une seule fois.

« C'est pour prier les dieux d'être avec nous dans le combat, pour que nous ne soyons pas seuls. »

Je vis Lea plisser le front, mais elle ne fit pas de commentaire.

Le garçon suivit mes mouvements quand je levai lentement les paumes, puis les baissai avant de les poser sur mes genoux.

« Ensuite nous brisons les esprits maléfiques », poursuivis-je en tapant des pieds.

Knut m'imita.

«À vos marques… prêts…», chuchotai-je.

Knut se renfrogna et adopta une mine combative.

«Partez!»

Il s'élança dans le cercle et me percuta avec l'épaule.

«Tu es dehors!» exulta-t-il.

L'empreinte de pas dans le sable à l'extérieur du cercle ne laissait aucun doute. Lea applaudit en riant.

«Ce n'est pas terminé, *rikishi* Knut-*san* du Finnmark *ken*, grinçai-je en m'accroupissant de nouveau. Le premier qui arrive à cinq victoires est Futabayama.

— Futa…?»

Knut s'empressa de s'accroupir en face de moi.

«Futabayama. Une légende du sumo. À vos marques… prêts…»

Je lui fis une prise par la taille qui le plaça largement hors du cercle.

À quatre partout, Knut était si ruisselant et énervé qu'il en oublia le salut et se contenta de se ruer sur moi. Je fis un pas de côté et, ne parvenant pas à s'arrêter, il tituba hors du cercle.

Lea rit. Knut resta immobile, le visage dans le sable.

Je m'assis à côté de lui.

«En sumo, il y a des choses plus importantes que de gagner. Par exemple de montrer de la dignité dans la victoire comme dans la défaite.

— J'ai perdu, murmura Knut dans le sable. Je crois que c'est plus facile quand on a gagné.

144

— Je sais.

— Félicitations, alors. Tu es Futa… Futa…

— … bayama. Et Futabayama te salue, vaillant Haguroyama. »

Il leva la tête. Du sable s'était collé à sa trogne en sueur.

« Qui c'est ?

— L'apprenti de Futabayama. Haguroyama est lui aussi devenu un maître.

— Ah oui ? Il a battu Futabayama ?

— Oh que oui. Ç'a été un jeu d'enfant. Il avait juste un certain nombre de choses à apprendre d'abord. Comme perdre. »

Knut s'assit. Ferma un œil.

« On progresse en perdant, Ulf ? »

Je hochai lentement la tête. Vis que j'avais aussi l'attention de Lea.

« On devient meilleur… »

J'anéantis un moustique qui s'était posé sur mon bras.

« … pour perdre.

— Meilleur pour perdre ? Et ça a un intérêt de devenir bon à ça ?

— La vie consiste essentiellement à essayer des choses sans y arriver. Tu vas perdre plus que gagner. Futabayama lui-même a dû perdre et perdre avant de commencer à gagner. Et c'est bien d'être meilleur dans ce qu'on fait le plus souvent, non ?

— Siii… »

Il hésitait.

« Mais qu'est-ce que ça veut dire de savoir bien perdre, alors ? »

145

Je croisai le regard de Lea au-dessus de l'épaule du garçon.

«Oser perdre encore une fois, déclarai-je.

— C'est prêt», annonça-t-elle.

Quand Lea ouvrit la papillote, la peau du cabillaud s'était collée au papier d'argent et il ne restait qu'à cueillir des bouts de chair de poisson et se les mettre dans la bouche.

«Divin.»

Je ne sais pas exactement ce que *divin* voulait dire, mais je n'avais pas trouvé de meilleur mot.

«Hm, ronronnait Knut.

— Il ne manque que le vin blanc, observai-je.

— Brûler!»

Knut découvrit les dents.

«Jésus buvait du vin, rappela Lea. Et avec le cabillaud, c'est du rouge qu'on boit.»

Elle rit quand Knut et moi cessâmes tous deux de mastiquer pour la dévisager.

«Je l'ai entendu dire!

— Papa buvait», remarqua Knut.

Lea cessa de rire.

«On lutte encore!» lança-t-il.

Je me tapotai le ventre pour lui signifier que j'étais trop repu.

«Pas marrant…»

Il fit la moue.

«Va voir si tu trouves des œufs de mouette, proposa Lea.

— Des œufs maintenant?

— Des œufs d'été. Ils sont rares, mais ils existent.»

Knut ferma un œil. Puis se leva, fit un sprint et disparut par-dessus le sommet de l'îlot.

«Des œufs d'été? demandai-je en m'allongeant sur le sable. C'est vrai?

— Je crois que la plupart des choses existent. Et j'ai dit qu'ils étaient rares.

— Comme vous?

— Nous?

— Les læstadiens.

— C'est comme ça que vous nous voyez?»

Elle mit sa main en visière et je compris de qui Knut tenait cette habitude de cligner un œil.

«Non, finis-je par répondre en fermant les deux paupières.

— Racontez-moi quelque chose, Ulf.»

Elle mit la veste que j'avais empruntée sous sa tête.

«Quoi donc?

— N'importe quoi.

— Laissez-moi réfléchir un peu.»

Nous restâmes sans parler. J'écoutais le crépitement du feu et la délicate et timide caresse de l'eau sur les rochers du rivage.

«Une nuit d'été à Stockholm. Tout est vert. Tout le monde dort. Je rentre doucement à la maison avec Monica. Nous nous arrêtons pour nous embrasser. Et puis nous reprenons notre marche. Nous entendons des rires par une fenêtre ouverte. Une brise qui souffle de l'archipel apporte un parfum d'herbe et d'algues.»

147

Je fredonnais en moi.

«Et la brise nous caresse la joue et je l'attire plus près de moi et la nuit n'existe pas, il n'y a que le silence, une ombre, le vent.

— Comme c'est beau, chuchota-t-elle. Continuez.

— La nuit courte et lumineuse se dissipe au réveil des grives. Un homme cesse de ramer pour contempler un cygne. Et quand nous traversons le Väster-bron, un tramway solitaire et vide nous dépasse. Là, en pleine nuit et dans le plus grand secret, les arbres de Stockholm fleurissent alors que toutes les fenêtres peignent la ville de lumière. Et Stockholm joue un air pour tous ceux qui dorment, pour tous ceux qui vont partir loin d'ici, mais revenir quand même. Les rues embaument les fleurs à présent, nous sommes embrassés de frais, et marchons lentement, lentement dans la ville.»

J'écoutai. Les vagues. Le feu. Un lointain cri de mouette.

«Monica, c'est votre amoureuse?

— Oui. C'est mon amoureuse.

— Ah bon. Depuis combien de temps?

— Voyons voir. Dix ans, je pense.

— C'est long.

— Oui, mais nous ne sommes des amoureux que trois minutes à la fois.

— Trois minutes?

— Trois minutes et dix-neuf secondes pour être tout à fait exact. C'est le temps qu'elle met à chanter sa chanson.»

Je l'entendis se relever en position assise.

« Ce que vous m'avez raconté, c'est une chanson ?

— *Sakta vi gå genom stan.* Monica Zetterlund.

— Et vous ne l'avez jamais rencontrée ?

— Non. J'avais un billet pour un concert d'elle et Steve Kuhn à Stockholm, mais Anna était tombée malade, donc je devais travailler. »

Elle hocha la tête sans parler.

« Ce doit être bien d'aimer quelqu'un autant, observa- t-elle. Comme les deux de la chanson, j'entends.

— Mais ça ne dure pas.

— Ça, vous n'en savez rien.

— C'est vrai. Personne ne sait. Mais d'après votre expérience, est-ce que ça dure ? »

Il y eut soudain un courant d'air froid et j'ouvris les yeux. Vis quelque chose là-haut, au bord de la falaise de l'autre côté de la passe. Ce n'était sans doute que la silhouette d'un gros rocher. Je me tournai vers Lea. Elle s'était recroquevillée.

« Je dis juste que tout peut exister, répondit-elle. Y compris l'amour éternel. »

Des mèches de cheveux furent soufflées sur son visage et je fus frappé par le fait qu'elle l'avait. La même lueur bleue. À moins que ce n'ait été la lumière sur cet îlot.

« Désolé, ce ne sont pas mes affaires, c'est juste… »

Je me tus. Mon regard cherchait le rocher, mais il n'était plus là.

« C'est juste… ? »

Je pris ma respiration. Savais que je le regretterais.

«Je me suis retrouvé sous la fenêtre de l'atelier après l'enterrement. Je vous ai entendus, le frère de votre mari et vous.»

Elle croisa les bras. Me regarda. Pas choquée, pensive. Elle jeta un coup d'œil dans la direction où Knut avait disparu, avant de me regarder de nouveau.

«Je n'ai aucune expérience du temps que peut durer l'amour pour un homme, car je n'ai jamais aimé l'homme qu'on m'a assigné.

— Assigné? Êtes-vous en train de me dire que c'était un mariage arrangé?»

Elle secoua la tête.

«Les mariages arrangés, ce sont des unions que les familles planifiaient entre elles autrefois. Des relations propices. Pâturages et troupeaux de rennes. Convictions religieuses communes. Hugo et moi n'étions pas dans un tel mariage.

— Alors?

— Nous étions dans un mariage forcé.

— Qui vous a forcés?

— La situation.»

Elle chercha de nouveau Knut du regard.

«Vous étiez…

— Oui, j'étais enceinte.

— J'ai cru comprendre que votre religion n'était pas très tolérante à l'égard des naissances hors mariage, mais Hugo ne sort pas d'une famille læstadienne, si?»

Elle secoua la tête.

«La situation et mon père. Ce sont les deux facteurs qui nous y ont contraints. Mon père m'a avertie que si je ne faisais pas ce qu'il exigeait, il m'exclurait de la paroisse. Ce qui signifie que vous n'avez personne, que vous êtes *entièrement* seul, vous comprenez?»

Elle porta la main à sa bouche. Je crus d'abord que c'était pour cacher son bec-de-lièvre.

«J'ai vu ce qui leur arrive…

— Je comprends.

— Non, vous ne comprenez *pas*, Ulf. Et je ne sais pas pourquoi je raconte ça à un étranger.»

Ce n'était que maintenant que j'entendais les pleurs dans sa voix.

«Peut-être justement parce que je suis un étranger.

— Oui, peut-être, renifla-t-elle. Vous allez partir d'ici.

— Comment votre père a-t-il pu forcer Hugo alors qu'il ne faisait partie d'aucune paroisse dont il pouvait se faire exclure?

— Il lui a dit que s'il ne m'épousait pas, il porterait plainte contre lui pour viol.»

Je l'observai en silence.

Elle redressa le dos et leva la tête, regarda la mer.

«Oui, j'ai épousé l'homme qui m'a violée quand j'avais dix-huit ans. Et j'ai porté son enfant.»

Un cri froid du continent. Je me retournai. Sous le précipice, un cormoran planait tout près de la surface de l'eau.

«Parce que c'est votre interprétation de la parole de la Bible?

— Chez nous, il n'y en a qu'un qui interprète le Verbe.

— Votre père. »

Elle haussa les épaules.

« Le soir où Hugo m'a violée, je suis rentrée à la maison et je l'ai raconté à ma mère. Elle m'a consolée, mais a ensuite conclu que mieux valait laisser tomber. Faire condamner un fils Eliassen pour viol, à quoi bon ? Le temps passant, elle a compris que j'étais enceinte et elle est allée trouver mon père. Sa première réaction a été de demander si nous avions prié Dieu que je ne sois pas enceinte. La seconde que Hugo et moi devions nous marier. »

Elle déglutit. Marqua une pause. Et je compris que c'était là une chose qu'elle n'avait pas racontée à grand monde. À personne, peut-être. Que j'étais la première occasion d'en parler à voix haute depuis l'enterrement.

« Alors il est allé trouver Eliassen l'Ancien, poursuivit-elle. Chacun à sa façon, le père de Hugo et mon père sont des hommes puissants dans le village. Eliassen l'Ancien donne aux gens d'ici du travail en mer, et mon père leur donne le Verbe et apaise leur détresse d'âme. Mon père a prévenu Eliassen que s'il n'acceptait pas, il n'aurait aucune difficulté à convaincre les membres de la paroisse qu'ils avaient entendu et vu des choses ce soir-là. Eliassen l'Ancien a répondu que mon père n'avait pas besoin de le menacer, que de toute façon j'étais un bon choix, je pourrais peut-être apaiser Hugo. Et ces deux-là ayant décidé qu'il en serait ainsi, il en a été ainsi.

— Comment… » dis-je, avant d'être interrompu par un nouveau cri.

Pas un oiseau, cette fois.

Knut.

Nous bondîmes tous deux sur nos pieds.

Le Pêcheur trouve toujours ce qu'il cherche.

Un autre cri. Nous nous élançâmes dans sa direction. J'atteignis le sommet de l'îlot le premier. Je l'aperçus et me tournai vers Lea, qui arrivait en courant derrière moi, la jupe retroussée.

«Il va bien.»

À environ cent mètres de nous, le garçon regardait fixement les rochers du rivage.

«Qu'est-ce qu'il y a?» lui criai-je.

Il pointa le doigt sur quelque chose de noir au-dessus de quoi clapotaient à peine les vagues. Et maintenant, je sentais aussi l'odeur. L'odeur de cadavre.

«Qu'est-ce qu'il y a?» demanda Lea, qui était arrivée à ma hauteur.

Je fis comme Knut, pointai mon doigt.

«Mort et décomposition», déclara-t-elle.

Je la retins quand elle voulut continuer vers Knut.

«Vous devriez peut-être rester ici, je vais aller vérifier ce que c'est.

— Pas la peine. Je vois ce que c'est.

— Et... c'est quoi?

— Un veau marin.

— Un veau marin?

— Un phoque, expliqua-t-elle. Un phoque mort.»

La nuit n'était pas terminée quand nous rentrâmes.

Il régnait un silence parfait, n'était audible que le doux claquement des avirons qu'on soulevait hors de l'eau. Les gouttes scintillaient comme des diamants quand elles tombaient dans le soleil oblique.

Assis à l'arrière du bateau, je contemplais mère et fils à la rame. Fredonnais *Sakta vi gå genom stan* dans ma tête. Ils formaient comme un organisme unique. La mine profondément concentrée, Knut essayait de stabiliser son corps, de se servir de son dos et de ses hanches, de maintenir avec les lourds avirons une cadence adulte, tranquille, régulière. Assise derrière lui, sa mère le suivait, veillait à ce qu'ils restent synchrones. Personne ne parlait. Veines et tendons jouaient sur le dos de ses mains, ses cheveux noirs étaient rejetés sur le côté quand de temps à autre elle vérifiait par-dessus son épaule que leur cap était bon. Naturellement, Knut faisait comme s'il ramait sans chercher à m'impressionner, mais il se trahissait par les regards à la dérobée qu'il me lançait sans cesse. J'avançai ma lèvre inférieure et fis un signe de tête appréciateur. Il prétendit ne pas s'en rendre compte, mais je sentis la vigueur de ses coups de rame augmenter encore un peu.

Nous remontâmes la lourde barque vers l'abri à bateaux sur le rail en bois, en nous aidant d'une corde fixée à un treuil. L'opération fut étonnamment facile. Je songeai à l'inépuisable inventivité de l'homme, à sa capacité de survie. Et à sa volonté de cruauté, si nécessaire.

Nous prîmes le chemin de terre vers les habitations et nous arrêtâmes au poteau télégraphique au début de la route. Une nouvelle couche de poussière s'était déposée sur l'affiche de l'orchestre de bal.

«Adieu, Ulf, dit-elle. J'ai apprécié ce moment passé ensemble. Bon retour et dormez bien.

— Adieu», répondis-je en souriant.

Ma parole, ils prenaient leurs au revoir au sérieux dans le Nord. Peut-être parce que les distances étaient si grandes et la nature si brutale. Il n'était nullement évident qu'on se reverrait dans l'immédiat. Ni jamais.

«Et nous aimerions vous voir à notre assemblée dans la chapelle samedi matin.»

Son ton était un peu pincé et un tressaillement parcourut son visage.

«N'est-ce pas, Knut?»

Knut acquiesça, silencieux, déjà à moitié endormi.

«Merci, mais je crois malheureusement qu'il est trop tard pour me sauver.»

Je ne sais pas si le double sens était voulu.

«Ça ne peut pas faire de mal d'entendre le Verbe.»

Elle m'observa avec ce singulier regard intense qui semblait chercher quelque chose.

«À une condition. Que je puisse emprunter votre Coccinelle après pour aller à Alta. J'ai besoin d'acheter une ou deux choses.

— Vous savez conduire?»

Je haussai les épaules.

«Je devrais peut-être vous accompagner.

— Vous n'êtes pas obligée.

— Elle n'est pas aussi facile qu'elle en a l'air.»

Je ne sais pas si le double sens était voulu.

De retour à la cabane, je me couchai et m'endormis aussitôt sans toucher à la bouteille de gnôle. Je ne rêvai, pour autant que je sache, de rien. Et me réveillai avec le sentiment que quelque chose s'était produit. Quelque chose de bien. Qui ne m'était pas arrivé depuis un sacré bout de temps.

12

Nous prions le Saint-Esprit
Pour la Foi juste et vraie!
Puissions-nous la garder
jusqu'à l'ultime Fin,
Lorsque nous rentrerons,
quitterons toute Misère.
Kyrie eleison!

Le cantique ondulait en vagues lentes entre les murs de la petite chapelle. L'assistance d'une vingtaine de personnes paraissait chanter à l'unisson.

Je tentai de suivre le texte dans le petit livre noir que Lea m'avait glissé. Le livre de cantiques de Landstad. Approuvé, d'après la couverture, par un décret royal de 1869. Je l'avais un peu feuilleté. Pas la moindre syllabe ne semblait avoir été changée depuis.

À la fin du chant, un homme traversa d'un pas lourd le plancher grinçant pour rejoindre une chaire simple. Se tourna vers nous.

C'était le père de Lea. Grand-père. Jakob Sara.

« *Je crois en Dieu, le Père Tout-Puissant, Créateur du Ciel et de la Terre* », commença-t-il.

Là, tout le monde se tut et le laissa lire seul la profession de foi. Ensuite il resta immobile, silencieux, à contempler la chaire. Longuement. Et à l'instant précis où j'étais sûr que quelque chose n'allait pas, qu'il avait un trou, il éleva la voix.

« Chers chrétiens. Au nom du Père, du Fils et du Saint-Esprit. Oui, nous avions envie de commencer cette réunion au nom de la Trinité. Oui. »

Nouvelle pause. Il gardait la tête basse, était affaissé dans son costume un peu trop grand, comme un débutant qui souffre et certainement pas comme le prédicateur itinérant chevronné dont m'avait parlé Knut.

« Car quand ce pauvre pécheur doit se pencher sur lui-même, sur sa propre personne, il ne fait pas bon monter en chaire. »

Arrêt. Je regardai autour de moi. Curieusement, personne d'autre ne semblait ressentir d'inconfort face aux difficultés de cet homme. Je pus compter jusqu'à dix avant qu'il reprenne :

« Et cette précieuse affaire autour de laquelle nous sommes rassemblés, ce Verbe sacré, pur, de Dieu – je dois me demander : comment gérer cette parole ? C'est pour cela qu'il m'est si difficile de monter en chaire. Mais que faire ? »

Il leva enfin la tête. Porta son regard droit sur nous. Un regard ferme, direct, qui n'abritait pas une once d'incertitude. Pas la moindre trace de cette humilité dont il se prétendait empreint.

« Car nous ne sommes que poussière. Et poussière nous redeviendrons. Mais si nous persévérons dans la foi, nous aurons la vie éternelle. Ce monde dans lequel nous vivons, c'est un monde en ruine dirigé par le Prince du monde, le Diable, Satan, celui qui séduit le troupeau.»

Je n'en aurais pas juré, mais ne braquait-il pas les yeux sur moi?

«Dans ce monde, nous devons vivre, pauvres hommes que nous sommes. Et, si nous le pouvons, nous devons éviter le Diable, et aller avec espoir pendant le bref temps restant.»

Nouveau cantique. Lea et moi étions assis près de la porte, je lui fis signe que je sortais fumer une cigarette.

Devant la chapelle, je m'adossai au mur et écoutai le chant à l'intérieur.

«Je te prie de m'excuser de te demander cela, mais puis-je avoir un de tes clous de cercueil?»

Mattis avait dû attendre au coin, la chapelle se trouvait au bout du chemin. Je lui tendis le paquet.

«Ils ont réussi à te sauver? s'enquit-il.

— Pas encore. Ils chantent un peu trop faux.»

Il rit.

«Oh, tu apprendras à écouter les cantiques comme il faut. Chanter juste et précis, c'est le genre de choses auxquelles les gens ordinaires attachent de l'importance. Mais pour ceux qui font profession de foi, les sentiments sont tout. Pourquoi sinon crois-tu que nous les Sames soyons devenus læstadiens? Crois-moi, Ulf, il n'y a qu'un jet de pierre du grondement de tambour et de la sorcellerie médicale du chaman au parler en langue, aux guérisons et au sentimentalisme des læstadiens.»

Je lui donnai du feu.

«Et à ces fichus cantiques tout en lenteur…», marmonna-t-il.

Nous tirâmes une bouffée en même temps et écoutâmes. Lorsqu'ils eurent terminé, le père de Lea reprit la parole.

«Le prédicateur est-il censé avoir l'air de souffrir du haut de sa chaire? demandai-je.

— Jakob Sara? Oui. Il doit véhiculer qu'il n'est qu'un simple chrétien qui n'a pas choisi d'être en chaire mais a été appelé par la paroisse.»

Mattis baissa la tête et fit sa voix aussi grave que celle de la chapelle :

«*Depuis que j'ai été institué chef de l'assemblée, mon souhait a toujours été que Dieu me soumette à l'obéissance. Mais l'on porte sa propre chair corrompue.*»

Il tira une bouffée de sa cigarette.

«Ça fait un siècle que c'est comme ça. Il y a un idéal d'humilité et de candeur.

— Ton cousin m'a raconté que tu avais été l'un d'eux.

— Mais j'ai vu la lumière.»

Mattis jeta un regard mécontent sur sa cigarette.

«Dis-moi, il y a du tabac là-dedans?

— Tu as cessé de croire pendant que tu faisais des études de théologie?

— Oui, oui, mais ici, on me considérait déjà comme un renégat quand je suis parti à Oslo. Un vrai læstadien qui veut devenir prêtre n'étudie pas parmi les gens ordinaires. Ici, la seule mission du prédicateur est de prêcher la doctrine ancienne et juste, pas les foutaises à la mode d'Oslo. »

Dans la chapelle, un autre cantique s'achevait et la voix de Jakob Sara retentit de nouveau :

« Le Seigneur est indulgent, mais n'en doutez pas, lorsque le mécréant ira à sa perte, le Seigneur viendra tel un voleur la nuit, terre et éléments se décomposeront. »

« À propos, fit Mattis, nous qui sommes condamnés à mort, nous ne voudrions pas qu'elle arrive plus tôt que nécessaire, si ?

— Pardon ?

— Pour certains, ça tomberait sans doute bien de ne pas la revoir à Kåsund du tout. »

Je m'interrompis en pleine bouffée.

« Bon, bon, poursuivit Mattis. Je ne sais pas si le Johnny est reparti plus au nord ou chez lui, mais il a beau ne pas avoir trouvé ce qu'il cherchait, nous n'avons aucune garantie qu'il ne reviendra pas. »

Je toussai de la fumée.

« Il ne reviendrait pas comme ça, bien sûr. Non, ça, tu peux en être sûr, Ulf. Mais certains pourraient avoir l'idée de tourner le cadran et de parler à travers ces trucs-là. »

Il désigna les lignes téléphoniques au-dessus de nos têtes.

« On leur a peut-être promis une somme rondelette s'ils le faisaient. »

Je jetai ma cigarette par terre.

« Tu vas m'expliquer pourquoi tu es venu ici, Mattis ?

161

— Il a dit que tu avais pris de l'argent, Ulf. Donc ce n'était peut-être pas une histoire de femme en fin de compte?»

Je ne répondis pas.

«Et Pirjo de la boutique a raconté qu'elle avait vu que tu en avais tout un tas. D'argent, j'entends. Ça vaut peut-être le coup d'en sacrifier un peu pour éviter qu'il revienne, Ulf?

— Et quel en serait le prix?

— Pas plus que ce qu'il a promis pour l'inverse. Un peu moins, d'ailleurs.

— Pourquoi moins?

— Parce qu'il m'arrive encore de me réveiller la nuit en sentant venir à moi un doute dévorant. Et s'Il existait quand même et allait – tout comme Johnny – revenir pour juger vivants et morts? Ne vaudrait-il pas mieux alors avoir fait davantage de bonnes actions que de mauvaises, afin de pouvoir peut-être adoucir la condamnation? Brûler pendant une éternité un peu moins longue, à une température un peu moins élevée?

— Tu veux m'extorquer une somme inférieure à celle que tu aurais reçue pour me dénoncer à un tueur à gages parce que tu estimes que c'est une *bonne* action?»

Mattis aspira la fumée.

«J'ai dit une somme *un peu* inférieure. Je ne vais pas me faire canoniser. Cinq mille.

— Tu es un escroc, Mattis.

— Passe chez moi demain. Je te donnerai une bouteille pour la peine. Gnôle et silence, Ulf. Gnôle parfaite et silence absolu. Ces choses-là ont un prix. »

Il avait l'air d'une putain d'oie à repartir ainsi sur le chemin en se dandinant.

Je retournai dans la chapelle et m'assis. Sous le regard scrutateur de Lea.

« Nous avons un visiteur dans notre assemblée aujourd'hui », souligna Jakob Sara, et j'entendis le bruissement des vêtements quand les gens se retournèrent.

On me sourit, me salua de la tête. Pure chaleur et amabilité.

« Nous allons prier le Seigneur de garder sa main sur lui pour qu'il fasse bon voyage et rentre sûre-ment et promptement là où il habite. »

Il baissa la tête, l'assistance l'imita. Sa prière était un murmure indistinct, fait de tournures et de termes anciens qui avaient peut-être une significa-tion pour les initiés. Je notai un seul mot. « Promp-tement. »

L'assemblée se conclut sur un cantique. Lea m'aida à le trouver. Je chantai avec les autres, je ne connaissais pas le chant, mais il était si lent qu'il suffisait de garder un temps de retard et de suivre les notes qui montaient et descendaient. Il faisait bon chanter, sentir ses cordes vocales vibrer. Lea prit peut-être cela pour de l'enthousiasme, en tout cas elle sourit.

En sortant, je sentis quelqu'un me toucher légè-rement sous le bras. C'était Jakob Sara. Il m'en-traîna à la fenêtre. Je vis le dos de Lea disparaître par la porte. Son père attendit que le dernier soit sorti avant de parler.

«Vous trouvez cela beau ici?

— Dans un sens, répondis-je.

— Dans un sens», répéta-t-il en hochant la tête. Il se détourna de moi.

«Avez-vous l'intention de l'emmener loin d'ici?»

La douce et lente humilité de sa voix s'était volatilisée et le regard sous ses sourcils broussailleux me cloua au mur.

Je ne savais trop que répondre. Me demandait-il en plaisantant si j'avais l'intention de me tirer avec sa fille? Ou me demandait-il sans plaisanter si j'avais l'intention de me tirer avec sa fille?

«Oui.

— Oui?»

Un sourcil se haussa.

«Oui. Je l'emmène à Alta. Et on revient. Enfin c'est plutôt elle qui m'emmène. Elle préfère conduire sa voiture elle-même.»

Je déglutis. J'espérais que je ne l'avais pas mise dans l'embarras. Que ce n'était pas un péché pour les femmes de conduire avec des hommes dans leur voiture. Ou quelque chose de ce genre.

«Je suis au courant que vous allez à Alta. Lea nous a envoyé Knut. Le Diable a un pied bien ancré à Alta. Je le sais, j'y suis allé.

— Nous n'aurons qu'à emporter de l'eau bénite et de l'ail.»

Je souris furtivement et regrettai aussitôt. Rien dans son visage ne changea, sauf cette étincelle dans ses yeux qui disparut au même instant, comme si un marteau y avait frappé la pierre.

« Désolé. Je suis un homme qui ne fait que passer, vous allez être débarrassés de moi *promptement*, et tout sera comme avant. Comme vous le voulez de toute évidence.

— En êtes-vous si sûr ? »

Je ne savais pas s'il me demandait si j'étais si sûr que tout redeviendrait comme avant ou que c'était ce qu'ils voulaient. Ma seule certitude était que je n'avais pas particulièrement envie de poursuivre cette conversation.

« J'adore cette terre, déclara-t-il en se tournant vers la fenêtre. Pas parce qu'elle est facile et généreuse, elle est – comme vous le voyez – aride et dure. Je ne l'aime pas parce qu'elle est belle, qu'on ne peut qu'admirer sa splendeur. C'est une terre comme toutes les autres. Et ce n'est pas non plus parce que cette terre m'aime, moi. Je suis same, et les dirigeants nous ont traités comme des enfants désobéissants, nous ont mis sous tutelle et ont privé plusieurs d'entre nous de tout amour-propre. J'aime cette terre parce que c'est ma terre. C'est pourquoi je fais tout pour la défendre. Comme un père défend même son enfant le plus laid, le plus stupide. Vous comprenez ? »

J'acquiesçai pour qu'il en termine.

« J'avais vingt-deux ans quand je suis entré dans la résistance, pour me battre contre les Allemands. Ils étaient venus ici et avaient violé ma terre, alors que pouvais-je faire d'autre ? Au milieu de l'hiver, sur le plateau, j'ai été sur le point de mourir de faim et de froid. Je n'ai certes pas tué d'Allemands, j'ai dû réfréner ma soif de sang parce qu'il y aurait eu des représailles contre les gens du village si nous avions agi. Mais je haïssais. J'éprouvais haine, faim et froid, j'attendais. Quand le jour est venu où les Allemands sont enfin partis, je croyais que ma terre serait de nouveau à moi. Mais j'ai compris que les Russes qui étaient arrivés dans le village n'avaient pas nécessairement l'intention d'en repartir. Qu'ils reprendraient volontiers mon pays après les Allemands. Nous sommes descendus du plateau vers les ruines calcinées, et j'ai trouvé ma famille dans un *lavvo* avec quatre autres familles. Ma sœur m'a raconté que chaque nuit des soldats russes venaient violer les femmes. Alors j'ai chargé mon pistolet, attendu. Quand le premier est venu et s'est tenu dans l'ouverture du *lavvo* où j'avais accroché une lampe à pétrole, j'ai visé son cœur et tiré. Il est tombé comme un sac. Puis je lui ai coupé la tête, en laissant la casquette d'uniforme dessus, et l'ai accrochée à l'extérieur du *lavvo*. Rien de tout cela ne m'avait coûté, c'était comme de tuer un cabillaud, de l'étêter et de le suspendre à un séchoir. Le lendemain, deux officiers russes sont venus chercher le corps de leur soldat. Ils n'ont posé aucune question, n'ont pas touché à la tête. Après cela, plus personne n'a été violé. »

Il referma sa veste de costume élimée. Passa une main sur le revers.

« C'est comme ça que j'ai agi alors et c'est comme ça que j'agirais aujourd'hui. On défend ce qui nous appartient. »

Il leva les yeux vers moi.

«On dirait bien que vous auriez pu vous contenter de le dénoncer auprès des officiers, remarquai-je. En obtenant le même résultat.

— Possible. Mais j'ai préféré le faire moi-même.»

Jakob Sara posa la main sur mon épaule.

«Je sens qu'elle va mieux.

— Pardon?

— Votre épaule.»

Puis il eut son sourire soi-disant placide, haussa ses sourcils broussailleux comme s'il venait de se souvenir d'une chose qu'il avait à faire, se tourna et partit.

Lea était déjà dans la voiture quand j'arrivai à sa maison.

Je sautai sur le siège passager. Elle portait un manteau gris simple avec un foulard en soie rouge.

«Vous vous êtes pomponnée.

— Pas du tout, répondit-elle en tournant la clef de contact.

— C'est joli.

— Ce n'est pas se pomponner, c'est juste des vêtements. Il vous a embêté?

— Votre père? Il a partagé avec moi un peu de la sagesse d'une vie.»

Lea soupira, passa la vitesse, embraya. Nous roulâmes.

«Et la conversation que vous avez eue avec Mattis devant la chapelle, c'était aussi sur la sagesse d'une vie?

— Ah, ça. Il voulait que je lui achète un service.

— Et vous allez le faire?

— Je ne sais pas, je n'ai pas encore décidé.»

Au niveau de l'église, quelqu'un marchait sur le bas-côté. En passant, je la vis dans le rétroviseur, qui restait dans le nuage de poussière à nous regarder.

«C'est Anita», commenta Lea.

Elle avait dû me voir jeter un œil au rétro.

«Ah oui, fis-je, d'un ton aussi neutre que possible.

— À propos de sagesse, Knut m'a parlé de la conversation que vous avez eue.

— Laquelle?

— Il m'a dit qu'il aurait une petite amie après l'été. Même si Ristiinna refuse.

— Ah bon?

— Oui. Il m'a expliqué que même le légendaire Futabayama avait perdu et perdu avant de commencer à gagner au sumo.»

Nous éclatâmes de rire. J'écoutai son rire. Celui de Bobby avait été un glouglou léger, comme un ruisseau vif. Celui de Lea était un puits. Non, un fleuve qui s'écoule lentement.

La route faisait parfois des virages et suivait des pentes douces, mais pour l'essentiel c'étaient des kilomètres et des kilomètres de trait rectiligne dans le paysage de plateau. Je me tenais à la poignée au-dessus de la portière. J'ignore pourquoi, à soixante kilomètres-heure en terrain plat, on n'a pas vraiment besoin de s'accrocher. C'est juste que je l'ai toujours fait. Je me suis toujours tenu à la poignée de maintien jusqu'à ce que mon bras s'ankylose. J'en ai vu d'autres faire pareil. En définitive, nous avons peut-être un point commun, nous les humains, le goût des points fixes.

Parfois, nous voyions la mer, ailleurs la route passait entre des collines et des rochers bas. Il manquait à ce paysage le spectaculaire saisissant des Lofoten ou la beauté du Vestlandet, mais il avait autre chose. Un vide muet, une absence de clémence taciturne, même la verdure estivale promettait des temps plus durs, plus froids, qui vous épuiseraient et finiraient par vaincre. Nous rencontrâmes à peine une voiture et ne vîmes ni humains ni animaux. Çà et là, une maison ou un chalet généraient la question «pourquoi». Pourquoi ici précisément?

Au bout de deux heures et demie, les intervalles entre les maisons se réduisirent, et soudain nous dépassâmes un écriteau au bord de la route où était inscrit «Alta».

Nous étions – en tout cas de nom – dans une ville.

Et quand émergèrent carrefours, magasins, écoles et établissements publics ornés des armes d'Alta, une pointe de lance blanche, il apparut que la ville n'avait pas seulement un centre, mais trois. Chacun n'était certes qu'un hameau minuscule. Tout de même, qui eût cru qu'Alta était un Los Angeles en miniature?

«Quand j'étais petite, j'étais persuadée que le monde s'arrêtait ici, à Alta», raconta Lea.

Je me demandai si ce n'était pas bel et bien le cas. D'après mes calculs, nous étions maintenant encore plus au nord.

Nous nous garâmes – opération qui ne fut pas spécialement problématique – et j'eus le temps d'acheter ce qu'il me fallait avant la fermeture des magasins. Sous-vêtements, bottes, veste de pluie, cigarettes, savon et nécessaire de rasage. Ensuite nous allâmes manger au Kaffistova. Je cherchai en vain du poisson sur la carte, car le goût de cabillaud frais restait vif dans ma mémoire. Lea secoua la tête en riant.

« Ici, nous ne mangeons pas de poisson quand nous sortons. Il faut que ce soit festif. »

Nous commandâmes des boulettes de viande.

« Quand j'étais petit, c'était cette heure de la journée que j'aimais le moins », observai-je en contemplant la rue calme.

Même le paysage urbain avait quelque chose d'étrangement désert et impitoyable, même ici on avait le sentiment dévorant que c'était la nature qui décidait, que l'homme était petit et impuissant.

« Le samedi après la fermeture, avant le début de la soirée. C'était en quelque sorte le *no man's land* de la semaine. Tu avais le sentiment que quelque part allait commencer une fête à laquelle tous les autres étaient invités. Ou dont ils étaient au moins au courant. Mais toi, tu n'avais même pas d'autres copains losers avec qui essayer de quémander ton entrée. Ça allait mieux après le journal télévisé, il y avait des trucs à la télé et tu n'avais plus besoin d'y penser.

— Nous, on n'avait ni fêtes ni télévision. Mais il y avait toujours du monde. En règle générale, les gens ne frappaient même pas, ils se contentaient d'entrer, s'asseyaient dans le salon et se mettaient à parler. Ou alors ils restaient juste là, en silence, à écouter. C'était mon père qui parlait le plus, bien entendu. Mais c'était ma mère qui décidait. Quand on était chez nous, c'est elle qui enjoignait à mon père de se calmer pour laisser les autres prendre la parole, et qui signalait aux gens qu'il était l'heure de rentrer. Et nous avions le droit de rester debout pour écouter les adultes. C'était bien, et rassurant. Je me souviens de mon père, une fois, pleurant de joie parce qu'Alfred, un pauvre bougre alcoolisé, avait enfin trouvé Jésus. L'année suivante, quand il a appris qu'Alfred était mort d'une overdose à Oslo, il a fait quatre mille kilomètres en voiture pour remonter le cercueil ici et le faire dûment enterrer. Tu me demandais en quoi je crois…

— Oui ?

— C'est en cela que je crois. En la capacité de l'homme à être bon. »

Après le repas, nous quittâmes le café. Le temps s'était couvert, créant une espèce de crépuscule. De la musique s'épanchait par la porte ouverte d'un snack qui annonçait saucisses, frites et glaces. Cliff Richard. *Congratulations*.

Nous entrâmes. À l'une des quatre tables était installé un couple. Fumant chacun une cigarette, ils nous considérèrent d'un air prétendument indifférent. Je commandai deux grandes glaces crémeuses avec des vermicelles au chocolat. Pour une raison que j'ignore, la crème glacée blanche qui se lovait en plis moelleux en sortant de la machine m'évoqua la chute d'un voile de mariée. Je pris les cornets et rejoignis Lea, qui s'était postée devant le juke-box.

« Regarde. »

Elle pointa son doigt.

« N'est-ce pas… ? »

Je lus l'étiquette derrière la vitre. Mis une pièce de cinquante øre et appuyai sur le bouton.

La voix fraîche et pourtant sensuelle de Monica Zetterlund s'échappa furtivement. Tout comme le couple de fumeurs. Lea était penchée sur le juke-box, absorbait chaque mot, chaque note, semblait-il. Yeux mi-clos. Hanches qui balançaient presque imperceptiblement, faisaient bouger le bas de sa jupe. À la fin de la chanson, elle mit une pièce, la repassa. Et encore une fois. Puis nous regagnâmes le soir d'été.

Derrière les arbres du parc, on entendait de la musique. Nous nous dirigeâmes machinalement vers elle. Devant un guichet s'étirait une file de jeunes gens. Joyeux, braillards, en vêtements d'été clairs et légers. Je reconnus l'affiche au guichet, celle du poteau télégraphique de Kåsund.

« On y va ?

— Je ne peux pas, fit-elle en souriant. Nous ne dansons pas.

— On n'est pas obligés de danser.

— Un chrétien ne va pas non plus dans les salles de concerts. »

Nous nous assîmes sur un banc, sous les arbres.

« Quand tu dis chrétien…, commençai-je.

— Je veux dire læstadien, oui. Je sais que tout cela peut paraître bizarre à quelqu'un d'extérieur, mais nous nous en tenons exclusivement aux anciennes traductions de la Bible. Nous ne croyons pas que le contenu de la foi puisse changer.

— L'idée de brûler en enfer n'a été interprétée dans la Bible qu'au Moyen Âge, c'est donc une découverte assez moderne. Ne devriez-vous pas la rejeter?»

Elle soupira.

«La raison vit dans la tête et la foi dans le cœur. Elles ne font pas toujours bon ménage.

— Mais la danse aussi vit dans le cœur. Quand tu bougeais en rythme avec la chanson du juke-box, étais-tu sur le point de pécher?

— Peut-être, fit-elle en riant. Seulement, il doit y avoir pire.

— Comme?

— Voyons... Traîner avec des pentecôtistes, par exemple.

— C'est *pire*?

— J'ai une cousine à Tromsø qui a fait le mur pour aller à une assemblée de la paroisse pente-côtiste locale. Quand son père s'est aperçu qu'elle était sortie, elle a menti et raconté qu'elle était allée en boîte de nuit.»

Nous nous gaussâmes, tous les deux.

Il faisait plus sombre. Il était temps de rentrer. Mais nous restâmes assis.

«Qu'est-ce qu'on ressent quand on marche dans Stockholm? demanda-t-elle.

— Tout, répondis-je en allumant une cigarette. On est amoureux. C'est pour ça qu'on voit, qu'on entend, qu'on sent tout.

« — On voit, on entend et on sent tout quand on est amoureux ?

— Tu ne l'as jamais ressenti ?

— Je n'ai jamais été amoureuse.

— Vraiment ? Pourquoi ?

— Je ne sais pas. Entichée, oui. Mais si être amoureux c'est ce qu'on dit, jamais.

— Alors, tu étais la reine des glaces. Celle que tous les garçons voulaient, mais à qui ils n'osaient pas parler.

— Moi ? »

Elle rit.

« Je ne crois pas, non. »

Elle mit sa main devant sa bouche, mais l'ôta aussitôt. C'était peut-être inconscient, j'avais du mal à croire qu'une femme aussi belle soit complexée par une petite cicatrice sur la lèvre supérieure.

« Et toi, Ulf ? »

Elle employait mon faux nom sans une once d'ironie.

« À la pelle.

— Tant mieux pour toi.

— Oh, je ne sais pas.

— Pourquoi ? »

Je haussai les épaules.

« Ça a un certain coût. Mais je suis devenu doué pour essuyer les rejets.

— Sottises. »

Je souris de toutes mes dents et aspirai une bouffée.

« J'aurais été l'un de ces garçons, tu sais.

— Quels garçons ? »

174

Je savais que je n'avais pas besoin de répondre, son rougissement révélait qu'elle comprenait de quoi je parlais. J'étais un peu surpris, dans un sens, elle n'était pas du genre à rougir.

J'allais répondre tout de même quand je fus interrompu par une voix brailleuse.

«Qu'est-ce tu fous là, bordel?»

Je me retournai. Ils étaient derrière le banc, dix mètres plus loin. Trois. Chacun une bouteille à la main. Les bouteilles de Mattis. Il était difficile de déterminer auquel d'entre nous la question s'adressait, mais même dans la pénombre, je voyais et entendais qui l'avait posée. Ove. Le beau-frère avec droit à l'héritage.

«Toi et ce… ce… sudiste.»

Sa voix pâteuse indiquait qu'il avait tâté de la bouteille, mais je soupçonnais qu'on ne pouvait pas lui imputer entièrement son incapacité à trouver un qualificatif plus insultant.

Lea se leva d'un bond et alla rapidement à sa rencontre, posa une main sur son bras.

«Ove, ne…

— Hé, toi! Sudiste! Regarde-moi! Tu croyais que tu allais pouvoir la baiser, là, hein? Maintenant que mon frère est dans sa tombe et qu'elle est veuve. Mais elles n'ont pas le droit, tu savais pas? Même là, elles n'ont pas le droit de baiser. Pas avant de s'être remariées! Haha!»

Il la repoussa avant de lever sa bouteille en un grand arc de cercle pour la porter à son bec.

«Enfin, possible qu'avec celle-là ça marche.»

Une douche d'alcool et de salive jaillit de sa bouche.

«Parce que celle-là, c'est une putain!»

Il me dévisagea, le regard frénétique.

«Putain!» répéta-t-il en voyant que je ne réagissais pas.

Je n'étais pas sans savoir que traiter une femme de putain était le feu vert internationalement reconnu pour se lever et envoyer son poing dans la face de l'émetteur. Mais je restai assis.

«Qu'est-ce qui se passe, sudiste? T'es à la fois queutard *et* lâche?»

Il rit, visiblement content d'avoir enfin trouvé les mots justes.

«Ove…», tenta Lea, mais il la balaya de la main avec laquelle il buvait.

Peut-être n'était-ce pas intentionnel, mais le fond de la bouteille la heurta au front. Peut-être. Je me levai.

Il eut un large sourire. Lança la bouteille dans la pénombre d'un arbre à ses copains, qui l'attrapèrent. Se dirigea vers moi les poings en avant. Jambes écartées et à petits pas rapides pour se mettre dans la bonne position, la tête légèrement inclinée derrière ses jointures, avec un regard soudain limpide et concentré. En ce qui me concerne, je ne m'étais pas beaucoup battu depuis l'école primaire. Rectificatif : je ne m'étais pas battu *du tout* depuis l'école primaire.

Le premier coup m'atteignit au nez, et les larmes brouillèrent aussitôt ma vue. Le deuxième me frappa la bouche. Je sentis quelque chose se détacher et le goût métallique du sang. Je recrachai la dent et frappai dans le vide. Son troisième coup fut encore pour mon nez. Je ne sais pas comment ils perçurent le craquement, mais moi, je l'entendis comme une voiture qu'on broyait.

J'allongeai une autre droite, qui ne toucha que le soir d'été. Puis me pris un coup dans la poitrine alors que je plongeais en avant pour l'agripper. J'essayai de lui plaquer les bras contre le corps pour l'empêcher de faire d'autres dégâts, mais il parvint à libérer sa main gauche, et la cogna plusieurs fois contre mon oreille et ma tempe. On aurait dit que quelque chose éclatait. Je claquai les mâchoires comme un chien, trouvai prise, une oreille, mordis de toutes mes forces.

« Bordel ! » s'écria-t-il en dégageant ses deux bras d'un mouvement sec avant de prendre ma tête en étau sous le droit.

Je sentis l'odeur âcre de la sueur et de l'adréna-line. Je l'avais sentie par le passé. Chez des hommes qui venaient d'être confrontés au fait qu'ils devaient de l'argent au Pêcheur et qui ne savaient pas ce qui pouvait arriver.

« Si tu la touches… », chuchotai-je dans son oreille mordue, entendant le mot gargouiller dans mon propre sang, « je te tue. »

Il rit.

« Et toi, sudiste ? Et si je défonçais le reste de tes jolies dents blanches ?

— Vas-y, soufflai-je. Mais si tu la touches…

— Avec ça ? »

La seule chose positive que je puisse dire du couteau qu'il tenait dans sa main libre, c'est qu'il était plus petit que celui de Knut.

« Tu n'oseras pas », gémis-je.

Il appliqua la pointe du couteau contre ma joue.

« Non ?

— Allez, vas-y, espèce de saloperie de… »

Je ne compris pas l'origine de mon soudain zézaiement avant de sentir l'acier froid sur ma langue et de saisir que le couteau avait déjà traversé la joue.

« Fin de race », parvins-je à conclure laborieusement, puisque ces mots requièrent une certaine gymnastique de la langue.

Mais ma diction n'était visiblement pas assez bonne.

« Qu'est-ce t'as dit, connard ? »

Je sentis le couteau tourner.

« Ton père, c'est ton frère. C'est pour ça que tu es si moche et stupide. »

Le couteau fut retiré d'un coup.

Je savais ce qui m'attendait. Je savais que les choses allaient se terminer ici. Et que je l'avais pratiquement demandé, quémandé même. Un homme avec ses gènes de berserk n'avait d'autre choix que de me plonger le couteau dans le corps.

Alors pourquoi le faisais-je ? J'en sais foutre rien. Je ne sais foutrement rien des calculs que nous effectuons, de notre façon d'additionner et de soustraire pour obtenir un résultat positif. Je sais seulement que les fragments d'un tel calcul avaient dû voltiger dans mon cerveau insomniaque cuit par le soleil et la gnôle, où le positif était que la peine de prison pour homicide volontaire est sacrément longue et que, pendant ce temps, une femme comme Lea pourrait partir loin, en tout cas si elle avait le bon sens de conserver un peu de l'argent qu'elle savait où trouver. En positif aussi : Knut Haguroyama aurait suffisamment grandi pour les défendre tous les deux. En négatif, il y avait ma propre vie. Qui, considérant sa qualité et la durée restante, ne valait pas grand-chose. Ouais, même moi, j'arrivais à faire le calcul.

Je fermai les yeux. Sentis la chaleur du sang qui coulait sur ma joue et sous mon col.

Attendis.

Rien ne se passa.

« Tu *sais* que je le ferais », déclara une voix.

La prise autour de ma tête se desserra.

Je fis deux pas en arrière. Rouvris les yeux.

Ove avait levé les mains et lâché le couteau. Juste devant lui se trouvait Lea. Je reconnus le pistolet qu'elle braquait sur son front.

« Partez », dit-elle.

La pomme d'Adam d'Ove Eliassen monta et descendit.

« Lea…

— Tout de suite ! »

Il se pencha pour ramasser son couteau.

« Celui-là, tu l'as déjà perdu », siffla-t-elle.

Il leva les paumes vers elle et recula les mains vides dans l'obscurité. Nous entendîmes des jurons mécontents, des tintements de bouteilles et le bruissement des branches quand ils disparurent entre les arbres.

«Tiens. »

Lea me tendit le pistolet.

«Il était sur le banc.

— Il a dû glisser», répondis-je en le fourrant dans mon pantalon.

J'avalai du sang de l'intérieur de ma joue, sentis mon pouls accéléré battre dans ma tempe et notai que je n'entendais pas grand-chose d'une oreille.

«Je t'ai vu le sortir avant de te lever, Ulf. »

Elle cligna d'un œil. Leur truc familial.

«Ce trou dans ta joue, il faut le recoudre. Viens, j'ai du fil et des aiguilles dans ma voiture. »

Je ne me souviens pas tellement du trajet de retour. Si, je me souviens que nous descendîmes au bord de l'Alta, Lea lavait mes plaies pendant que j'écoutais la rumeur de la rivière en regardant les pierriers qui ressemblaient à du sucre en poudre remontant les parois rocheuses claires et escarpées de part et d'autre. Je me souviens que je me fis la réflexion que j'avais vu plus de ciel pendant mes jours et mes nuits ici que pendant toute ma vie. Elle toucha délicatement mon nez et établit qu'il n'était pas cassé. Puis elle me recousit la joue tout en me parlant en same et en fredonnant quelque chose qui était censé être un joik sur la santé recouvrée. Joik et rumeur de la rivière. Et je me souviens d'une légère nausée, mais Lea chassait les moustiques et me caressait les cheveux plus que ce qui était strictement nécessaire pour les repousser de la plaie. Quand je lui demandai pourquoi elle avait des aiguilles, du fil et du Pyrisept dans sa voiture, et si sa famille était souvent victime d'accidents en promenade, elle secoua la tête.

« Pas des accidents de promenade, non. Des accidents domestiques.

— Domestiques ?

— Oui. Il s'appelait Hugo, frappait et était saturé d'alcool. Et il ne restait alors qu'à fuir la maison et à rafistoler les éventuels dommages.

— Tu t'es recousue toi-même ?

— Et Knut.

— Il a frappé *Knut* ?

— D'où crois-tu qu'il tienne ses points de suture au front ?

— Tu l'as recousu ? Ici, dans la voiture ?

— C'était cet été. Hugo était soûl, et c'était la vieille rengaine. Il considérait que je le regardais avec des yeux accusateurs, qu'il ne m'aurait pas touchée ce soir-là si j'avais su le traiter avec un peu de respect, au lieu de l'ignorer. Je n'étais après tout qu'une gamine et lui un Eliassen qui venait de rentrer de l'océan avec une grosse pêche. Je ne répondais pas, mais sa colère n'a fait que se renforcer et il a fini par se lever pour me frapper. Je savais me défendre, mais juste à ce moment-là, Knut est entré. Il s'est jeté entre nous, a crié que papa n'avait pas le droit. Alors Hugo a pris la bouteille d'alcool et l'a frappé. Il l'a touché au front, si bien que Knut est tombé comme un sac, et je l'ai porté jusqu'à la voiture. Quand je suis rentrée, Hugo s'était calmé. Mais Knut a passé une semaine au lit avec des vertiges et des nausées. Un médecin est venu d'Alta pour l'examiner. Hugo lui a raconté, comme à tout le monde, que Knut était tombé dans l'escalier. Et moi… je n'ai rien dit à personne, j'ai consolé Knut en lui affirmant que ça ne se reproduirait sûrement pas.»

Je m'étais trompé. Trompé quand Knut m'avait raconté que sa mère lui disait que, pour son père, il n'avait rien à craindre.

«Personne n'était au courant, poursuivit-elle. Jusqu'à un soir où Ove buvait avec ses copains habituels. Ils lui ont demandé ce qui s'était *réellement* passé et il a parlé de sa rombière insolente, de son sale gosse et de comment il les avait remis à leur place. Et ainsi tout le village a été au courant. C'est à ce moment-là que Hugo est parti en mer.

— C'est donc de ça que le prêtre parlait quand il disait que Hugo avait fui des comptes non réglés.

— De ça, et la somme des choses. Tu saignes de la tempe.»

Elle ôta son foulard en soie rouge et me l'enroula autour de la tête.

Puis je ne me souviens plus de rien. Je me réveillai roulé en boule sur la banquette arrière quand elle m'annonça que nous étions arrivés. J'avais probablement eu un petit traumatisme crânien, estimait-elle, d'où ma somnolence. Elle décréta que mieux valait qu'elle me raccompagne à la cabane.

Je pris de l'avance et l'attendis là où je n'étais pas visible du village. Je m'assis sur une pierre. La lumière et le silence. Comme juste avant une tempête. Ou après une tempête, une tempête ayant exterminé toute vie. Tels des fantômes en linceul blanc, des houppes de brume glissaient des collines vertes, gobaient les petits bouleaux pubescents rebelles, qui émergeaient de la brume l'air ensorcelé.

Puis elle arriva. Comme flottant, ensorcelée elle aussi.

«En promenade? fit-elle dans un sourire. Nous allons peut-être dans la même direction?»

Cache-cache secret.

Mon oreille s'était mise à siffler et j'avais le vertige, Lea me prit donc la main, par mesure de précaution. Le trajet fut étonnamment rapide, peut-être parce que je n'étais éveillé que par intermittence. Et lorsque je me couchai enfin dans la cabane, j'eus le singulier sentiment d'être arrivé à la maison, sécurité et paix imaginées que je n'avais jamais ressenties dans les bien trop nombreux endroits où j'avais vécu à Oslo.

«Maintenant, tu peux dormir, déclara-t-elle en me touchant le front. Repose-toi demain. Et ne bois rien d'autre que de l'eau. Tu promets?

— Où vas-tu? demandai-je quand elle se leva.

— À la maison, bien sûr.

— C'est urgent? Knut est chez son grand-père.

— Urgent, urgent. C'est juste que je crois que tu devrais rester dans le calme complet plutôt que de parler et t'agiter.

— Je suis d'accord. Mais tu ne pourrais pas te coucher dans le calme complet avec moi? Un petit moment.»

Je fermai les yeux. Écoutai sa respiration tranquille. Croyais entendre ses délibérations.

« Je ne suis pas dangereux. Je ne suis pas pentecôtiste. »

Elle rit doucement.

« Un moment, alors. »

Je me déplaçai contre le mur et elle se coinça à côté de moi dans le lit étroit.

« Je partirai quand tu seras endormi. Knut va rentrer tôt. »

Couché là, je me sentais à moitié parti et parfaitement présent à la fois, mes sens absorbaient tout, la chaleur et la pulsation de son corps, l'odeur émanant du col ouvert de son chemisier, la senteur de savon de ses cheveux, les mains et le bras qu'elle avait placés de sorte à empêcher un contact direct entre nos corps.

Quand je me réveillai, j'eus le sentiment que c'était la nuit. C'était quelque chose dans le silence. Même quand le soleil de minuit était au plus haut, on aurait dit que la nature marquait un temps de repos, avait un pouls plus lent. Le visage de Lea avait coulé au creux de ma gorge, je sentais son nez et son souffle régulier sur ma peau. J'aurais dû la réveiller, l'informer qu'il était temps de partir si elle voulait être à la maison au retour de Knut. Je voulais bien sûr qu'elle le soit, qu'il n'ait pas peur. Mais je voulais aussi qu'elle reste encore, au moins quelques secondes. Alors je ne bougeai pas, restai juste à sentir. Sentir que je vivais. Comme si son corps me donnait vie. Il y eut un grondement au loin. Ses cils me chatouillèrent la peau et je compris qu'elle s'était réveillée.

« Qu'est-ce que c'était ? chuchota-t-elle.

— Le tonnerre. Ce n'est pas dangereux, il est loin.

— Il n'y a jamais de tonnerre, ici. Il fait trop froid.

— De l'air chaud est peut-être arrivé du sud.

— Peut-être. J'ai fait un rêve affreux.

— Sur quoi?

— J'ai rêvé qu'il était en train de revenir. Qu'il venait ici pour nous tuer.

— L'homme d'Oslo? Ou Ove?

— Je ne sais pas. Ça m'a échappé. »

Nous restâmes allongés à l'écoute d'autres grondements. Il n'en vint pas.

« Ulf?

— Oui?

— Es-tu déjà allé à Stockholm?

— Oui.

— C'est beau là-bas?

— Maintenant, en été, c'est très beau. »

Elle se hissa sur son bras et baissa les yeux sur moi.

« Jon. Signe du Lion. »

J'acquiesçai.

« Le gars d'Oslo t'a raconté ça aussi? »

Elle secoua la tête.

« J'ai regardé la médaille autour de ton cou quand tu dormais. Jon Hansen, né le 24 juillet. Moi, je suis Balance. Tu es le feu et moi l'air.

— Je vais brûler et toi monter au ciel. »

Elle sourit.

« Est-ce la première chose que tu aies pensée?

— Non.

— Et quelle était la première chose, alors ? »

Son visage était si près, ses yeux si sombres et intenses.

Je ne savais pas que j'allais l'embrasser avant de le faire. Je ne suis même pas sûr que ce soit moi qui l'aie fait. Mais je refermai ensuite mes bras autour d'elle, l'attirai à moi et la serrai fort, sentis son corps, comme un soufflet alors que sa respiration feulait entre ses dents.

« Non ! gémit-elle. Il ne faut pas !

— Lea.

— Non ! Nous… je ne peux pas. Lâche-moi ! »

Je la lâchai.

Elle sortit du lit en se démenant. Elle resta essoufflée dans la pièce à me dévisager, le regard furieux.

« Je croyais… Pardon, je ne voulais pas…

— Chut, fit-elle doucement. Cela ne s'est pas produit. Et cela ne va pas se reproduire. Jamais. Tu comprends ?

— Non. »

Elle relâcha son souffle en un long gémissement tremblé.

« Je suis mariée, Ulf.

— Mariée ? Tu es veuve.

— Tu ne comprends pas. Je ne suis pas uniquement mariée avec lui. Je suis mariée avec… avec tout. Tout ici. Toi et moi, nous appartenons à deux mondes différents. Tu vis de la drogue, je suis bedeau et croyante. Je ne sais pas quelle est ta raison de vivre, mais moi, je vis pour ça et pour mon fils. Il n'y a que ça qui compte, et je n'ai pas l'intention de laisser un… un stupide rêve irrespon-

186

sable le détruire. Je n'en ai pas les moyens, Ulf. Tu comprends?

— Mais je t'ai dit que j'avais de l'argent. Regarde derrière la planche à côté du placard, là, il y a…

— Non, non!»

Elle se boucha les oreilles.

«Je ne veux pas entendre, et je ne veux pas d'argent! Je veux avoir ce que j'ai, rien d'autre. Nous ne pouvons pas nous revoir, je ne veux pas que nous nous revoyons, ceci a été… ceci a été n'importe quoi et une erreur et… et maintenant je m'en vais. Ne viens pas me trouver. Et moi je ne viendrai pas te trouver. Adieu, Ulf. Je te souhaite une bonne vie.»

L'instant suivant, lorsqu'elle fut sortie de la cabane, j'avais déjà commencé à me demander si la scène s'était véritablement déroulée. Si, elle m'avait embrassé, la douleur à ma joue ne mentait pas. Mais alors le reste aussi devait être vrai, qu'elle avait dit ne jamais vouloir me revoir. Je me levai, sortis et la vis courir vers le village au clair de lune.

Bien sûr qu'elle partait. Qui ne serait pas parti? *Moi*, en tout cas, je l'aurais fait. Bien plus tôt. Mais j'étais du genre à me tirer. Elle, elle n'en avait pas les moyens, tandis que moi, en règle générale, je n'avais pas les moyens de rester. Qu'avais-je pensé, au juste? Que deux personnes comme nous pourraient être ensemble? Non, je ne l'avais pas pensé. Rêvé, peut-être, comme notre cerveau tisse des images et des représentations. Maintenant, il était temps de se réveiller.

Le tonnerre gronda de nouveau, un peu plus

près, cette fois. Je regardai vers l'ouest. Au loin s'était élevée une tour de nuages de plomb.

Il était en train de revenir. Il venait ici pour nous tuer.

Je retournai dans la cabane et reposai mon front contre le mur. Je croyais aux rêves aussi peu qu'aux dieux. Je croyais plus à l'amour d'un junkie pour sa came qu'à l'amour des gens les uns pour les autres. Mais je croyais à la mort. C'était une promesse dont je savais qu'elle serait tenue. Je croyais à une balle de neuf millimètres à mille kilomètres-heure. Et que la vie était le temps entre le moment où cette balle quittait le canon du pistolet et celui où elle forçait son passage à travers votre cerveau.

Je nouai l'extrémité d'une corde autour de la poignée de porte. Attachai l'autre entre les deux lits, à l'épais montant qui était cloué au mur. Serrai. Voilà. Puis je me couchai en regardant fixement les planches du sommier au-dessus de moi.

13

C'était à Stockholm. Il y a très, très longtemps, avant tout. J'avais dix-huit ans et j'étais venu en train d'Oslo. Je flânai seul dans les rues de Södermalm. Je gambadai sur l'herbe de Djurgården et contemplai le palais royal depuis un ponton, les jambes pendantes et la tête pleine de la certitude que je n'aurais jamais voulu troquer ma liberté. Puis je me fis beau comme je le pus et me rendis au Dramaten, parce que j'étais amoureux d'une fille norvégienne qui jouait Solveig dans *Peer Gynt*.

Elle avait trois ans de plus que moi, mais je lui avais parlé à une soirée. Ce devait être pourquoi j'étais parti. Essentiellement. Elle était bonne dans la pièce, elle parlait le suédois comme une autochtone, du moins était-ce l'effet que ça me faisait. Elle était exquise et inaccessible. Et pourtant, pendant la représentation mon amour se flétrit. Peut-être parce qu'elle ne pouvait pas faire concurrence à la journée que j'avais passée, être à la hauteur de Stockholm. Peut-être était-ce simplement que j'avais dix-huit ans et que j'étais amoureux de la rousse assise devant moi.

Le lendemain j'achetai du haschich sur Sergels torg. Descendis au Kungsträdgården, où je revis la fille aux cheveux roux. Je lui demandai si elle avait aimé la pièce, mais elle se contenta d'un haussement d'épaules avant de m'expliquer en suédois comment rouler un joint. Elle avait vingt ans, venait d'Östersund et avait un petit appartement sur Odenplan. Juste à côté se trouvait un restaurant bon marché qui s'appelait Tranan où nous mangeâmes du *strömming* grillé avec de la purée de pommes de terre en buvant de la *mellanöl*.

Il apparut qu'elle n'était finalement pas la fille que j'avais vue au rang devant moi, le Dramaten, elle n'y était jamais allée. Je passai trois jours chez elle. Elle travaillait pendant que je me contentais de me balader en respirant l'été et la ville. Rentré à Oslo, je restai à la fenêtre, méditant sur ma promesse de retourner la voir. Et je me fis pour la première fois la plus triste de toutes les réflexions : il n'y a pas de chemin de retour. Aujourd'hui devient hier, aujourd'hui devient hier sans putain disconti- nuer, il n'y a pas de marche arrière dans ce maudit véhicule que nous appelons la vie.

Je me réveillai.

On grattait à la porte. Je me tordis dans le lit et vis la poignée monter et descendre.

Elle avait changé d'avis. Elle était revenue.

« Lea ? »

Mon cœur battait d'une joie folle, je rejetai ma couverture et lançai mes pieds au sol.

Pas de réponse.

Ce n'était pas Lea.

C'était un homme. Un homme fort ou furieux. Car la force qu'il employait à tirer sur la poignée faisait craquer les jointures du lit.

Je m'emparai de la carabine, qui était appuyée contre le mur, et la braquai sur la porte.

«Qui êtes-vous? Que voulez-vous?»

Toujours pas de réponse. Mais que répondre? Qu'ils étaient venus pour me liquider, donc prière d'ouvrir? La corde vibrait comme celle d'un piano. Il y avait un jour entre la porte et le chambranle. De quoi loger un canon de revolver.

«Répondez ou je tire!»

Les planches du lit semblaient crier de douleur tandis que les grands clous étaient tirés hors du bois, millimètre par millimètre. Et puis j'entendis un déclic au-dehors, comme un revolver qu'on chargeait.

Je tirai. Tirai. Tirai. Et tirai. Trois balles du chargeur plus celle de la chambre partirent avec fracas.

Le silence qui s'ensuivit n'en fut que plus grand.

Je retins mon souffle.

Merde! On grattait de nouveau à la porte. La poignée fut arrachée du battant à grand fracas. Puis il y eut un haut mugissement plaintif et le même déclic. Que je reconnus enfin.

Je sortis le pistolet de sous l'oreiller, détachai la corde et ouvris la porte.

Le renne n'avait pas fait beaucoup de chemin, je le vis qui gisait dans la bruyère à vingt mètres du chalet, côté village. Comme si, instinctivement, il avait recherché les gens, pas les bois.

Je le rejoignis.

Il était immobile, ne bougeait que la tête. La poignée était restée dans sa ramure. Frayage. Il avait frayé ses bois contre la porte de la cabane et s'était accroché à la poignée.

Il posa la tête sur le sol, me regarda. Je savais bien qu'il n'y avait pas de supplique dans son regard, que c'est juste moi qui l'y lisais. Je levai mon pistolet. Vis le geste se refléter sur ses globes humides.

Qu'avait dit Anita ? *Tu vas tirer sur le reflet.* Ce renne solitaire, qui avait fui le troupeau et s'était trouvé cette cachette, mais mourait malgré tout – était-ce moi ?

Je n'arrivai pas à tirer. Bien sûr que je n'arrivai pas à tirer.

Je fermai les yeux. Fort. Pensai à ce qui venait ensuite. À ce qui ne venait *pas* ensuite. Plus de larmes, plus de peur, plus de regrets, de culpabilité, de soif, de langueur d'âme, de sentiment de perte et d'avoir gâché toutes les chances qu'on avait eues.

Je fis feu. Deux fois.

Puis je regagnai la cabane.

Me couchai. Le baiser et la mort. Le baiser et la mort.

Je me réveillai deux heures plus tard en ayant mal à la tête et les oreilles qui sifflaient, sentis que ça y était. La gravité tirait sur mon corps, buvait la lumière et l'espoir. Le trou noir. Je n'étais pas encore aspiré au point de ne plus pouvoir me dépêcher de remonter vers le haut pour attraper une bouée de sauvetage. Ce ne serait qu'un report, et quand je sombrerais de nouveau, la nuit polaire serait encore plus noire, encore plus longue. Mais là, j'avais besoin de ce sursis.

En l'absence de prince Valium, je saisis la seule bouée à ma disposition. La bouteille de gnôle.

14

L'alcool lessiva peut-être le pire de l'obscurité, mais il ne pouvait évacuer Lea de mon cœur et de mon esprit. Si je ne l'avais pas compris plus tôt, je le savais maintenant. J'étais bêtement, éperdument, désespérément amoureux. De nouveau.

Mais cette fois, c'était différent. Il n'était personne que j'aurais préféré assis au rang devant moi. Il n'y avait qu'elle. Je voulais cette femme surcroyante avec un gosse, un bec-de-lièvre et un mari récemment noyé. Lea. La fille aux cheveux noir corbeau, à la lueur bleue dans le regard et au dos cambré. Qui parlait lentement, pensivement, mais sans détours inutiles. La femme qui vous voyait comme celui que vous étiez et l'acceptait. M'acceptait *moi*. Rien que ça…

Je me tournai vers le chemin.

Et elle voulait de moi. Elle avait beau avoir affirmé ne plus jamais vouloir me revoir, je savais qu'elle voulait de moi. Pourquoi sinon m'aurait-elle embrassé ? Elle m'avait embrassé, elle ne l'aurait pas fait si elle n'avait pas voulu, et il ne s'était rien passé entre cet instant et celui où elle était soudain partie en courant. Donc à moins qu'elle ait trouvé que j'embrassais si mal qu'elle m'avait quitté séance tenante, il s'agissait simplement de lui faire comprendre que j'étais un homme sur lequel elle pouvait compter. Quelqu'un qui veillerait sur elle et Knut. Qu'elle s'était trompée sur mon compte. Que *moi*, je m'étais trompé sur mon compte. Je n'allais pas me tirer, pas cette fois. Car j'avais cela en moi, c'est juste que je n'avais pas encore eu l'occasion d'essayer. De fonder un foyer. Mais maintenant, quand je me sondais, ça me plaisait. J'aimais l'idée du rassurant et du prévisible. Oui, de l'uniforme et du monotone, même. Ces choses-là, je les avais toujours recherchées, c'est juste que je ne les avais pas trouvées. Avant maintenant.

Je ris de moi-même, ne pouvais m'en empêcher. Parce que moi, condamné à mort, tueur à gages soûl et raté, j'étais en train de planifier une longue et heureuse vie avec une femme qui, la dernière fois que je lui avais parlé, m'avait expliqué clairement et distinctement que j'étais la dernière personne qu'elle souhaitait revoir.

Alors je me retournai vers la pièce et vis sur la chaise la bouteille qui était vide.

De deux choses l'une. Il me fallait Lea. Ou il me fallait plus d'alcool.

Avant de glisser de nouveau dans le sommeil, j'entendis les fluctuations d'un hurlement lointain. Ils étaient de retour. Ça sentait la mort et la putréfaction, et ils n'allaient pas tarder à arriver.

Je me levai de bonne heure. À l'ouest la tour de nuages demeurait, mais n'avait pas approché, semblait plutôt s'être retirée. Et je n'avais pas non plus entendu d'autres coups de tonnerre.

Je me baignai dans le ruisseau. Ôtai le foulard en soie rouge qui enveloppait toujours ma tête, nettoyai ma plaie à la tempe. J'enfilai mes nouveaux sous-vêtements, une nouvelle chemise. Me rasai et m'apprêtai à rincer le foulard quand je sentis qu'il avait encore un peu de son odeur. Je me le nouai autour du cou. Murmurai les mots que j'avais prévu de dire, que j'avais changés huit fois au cours de l'heure qui venait de s'écouler, mais savais tout de même par cœur. Ça ne devait pas être artificiel, juste sincère. Et se terminer par : « Lea, je t'aime. » Oui, merde, ça devait se terminer comme ça. Me voici, et je t'aime. Flanque-moi à la porte si tu le dois et le peux. Mais je suis là et je te tends mes mains, dans lesquelles se trouve mon cœur battant. Je rinçai mon rasoir et me brossai les dents, juste au cas où elle aurait l'idée de m'embrasser de nouveau.

Puis j'entrepris de descendre vers le village.

Une nuée de mouches décolla du renne quand je le dépassai. Curieusement, le cadavre paraissait avoir grandi. Il en émanait une pestilence que je n'avais pas remarquée auparavant, bien que la bête ne fût qu'à vingt pas de la cabane. À cause du vent d'ouest régulier, sans doute. Mais aucun loup ou autre prédateur ne l'avait touché. Pour l'instant.

Je continuai. D'un pas vif, résolu. Dépassai le village, descendis au ponton. Avant d'aller trouver Lea, j'avais une ou deux choses à régler.

Je sortis le pistolet de mon pantalon, pris deux pas d'élan et le lançai aussi loin que je pouvais dans la mer. Puis j'allai au magasin de Pirjo. J'y achetai une boîte de boulettes Joika pour les apparences et demandai où habitait Mattis. Après avoir essayé trois fois, et en vain, de me l'expliquer en finnois, elle m'emmena dehors et désigna plus haut sur le chemin une maison à un tir de pistolet de distance.

Mattis ouvrit alors que j'allais partir après avoir appuyé trois fois sur la sonnette.

« Il me semblait bien avoir entendu quelqu'un dehors. »

Ses cheveux partaient en tous sens et il portait un maillot en laine troué, un slip et des grosses chaussettes.

« La porte n'est pas verrouillée, pourquoi tu restes là ?

— Tu n'as pas entendu la sonnette ? »

Il considéra avec intérêt le dispositif que je lui montrais.

« Voyez-vous ça, j'ai une sonnette. Elle doit être cassée, alors. Entre. »

Il apparut que Mattis vivait dans une maison sans meubles.

« Tu habites ici ? »

Ma voix résonnait entre les murs.

« Le moins possible. Mais c'est mon adresse.

— Et ton architecte d'intérieur ?

— J'ai hérité de la maison de Sivert. D'autres de ses meubles.

— C'était un parent, Sivert ?

197

— Je ne sais pas. Peut-être. Si, on avait une certaine ressemblance. Du moins devait-il le penser.»

Je ris. Mattis me regarda sans comprendre et s'assit par terre. Croisa les jambes.

Je l'imitai.

«Je te prie de m'excuser de te poser la question, mais qu'est-il arrivé à ta joue?

— Je me suis pris une branche», répondis-je en sortant de l'argent de la poche de ma veste.

Il compta les billets. Sourit de toutes ses dents et les fourra dans sa propre poche.

«Silence. Et gnôle chambrée en cave. Quelle marque veux-tu?

— Il y en a plusieurs?

— Non.»

Même rictus.

«Cela signifie-t-il que tu as l'intention de rester à Kåsund, Ulf?

— Peut-être bien.

— Tu es en sécurité ici, maintenant. Alors pourquoi aller ailleurs? Tu restes à la cabane?

— Où, sinon?

— Eh bien…»

Son sourire était comme peint sur son visage.

«Tu as fait la connaissance d'une ou deux femmes du bourg. Tu pourrais avoir envie de te réchauffer un peu maintenant que l'automne arrive.»

Je jouai avec l'idée de lui planter mon poing dans sa dentition brune. D'où diable tenait-il cela? Je forçai un sourire.

«C'est ton cousin qui t'a raconté des salades?

— Mon cousin?

— Konrad. Kåre. Kornelius.

— Ce n'est pas mon cousin.

— Il s'est présenté comme tel.

— Ah bon?»

Mattis leva un sourcil et gratta ses cheveux en bataille.

«Dis donc, alors ça doit signifier que… Hé, où vas-tu?

— Je m'en vais d'ici.

— Tu n'as même pas eu ta gnôle.

— Je m'en sortirai sans.

— Vraiment?» me cria-t-il.

Je marchai entre les pierres tombales jusqu'à l'église.

La porte était entrebâillée et je me glissai à l'intérieur.

Le dos tourné, elle changeait les fleurs d'un vase sur l'autel. Je pris ma respiration, dans un mouvement que je voulais calme et profond, mais mon cœur était déjà hors de contrôle. Je la rejoignis d'un pas pesant. Et cependant mon toussotement la fit sursauter.

Elle se retourna. Les deux marches qui montaient à l'autel la faisaient me regarder de haut. Elle avait les yeux rougis. Je me fis la réflexion que mon cœur devait se voir de l'extérieur, qu'il allait bientôt me fracasser la poitrine.

«Que veux-tu?»

Sa voix chuchotante était rauque.

Ce n'était plus là.

Tout ce que j'avais prévu de dire était évanoui, parti, oublié.

Il n'en restait que la dernière phrase.

« Lea, je t'aime. »

Je la vis cligner des yeux, comme horrifiée.

Encouragé par le fait qu'elle ne m'avait pas jeté à la porte, je poursuivis :

« Je veux que toi et Knut veniez avec moi. Quelque part où personne ne pourra nous trouver. Une grande ville. Où il y a un archipel, de la purée de *potatis* et de la *mellanöl*. Nous pourrons pêcher et aller au théâtre. Et ensuite rentrer lentement vers un appartement de Strandvägen. Je n'ai pas les moyens d'un grand logement si c'est là qu'il doit se situer, parce que la rue est chère. Mais il sera à nous. »

Elle chuchota quelque chose tandis que des larmes emplissaient ses yeux déjà rouges.

« Comment ? »

Je fis un pas en avant, mais m'arrêtai quand elle leva les mains. Comme pour se protéger, elle brandit devant elle un bouquet de fleurs fanées qu'elle serrait. Répéta, plus fort :

« C'est ce que tu as dit à Anita aussi ? »

Ce fut comme si on me vidait un seau d'eau de la mer de Barents sur la tête.

Lea secoua la tête.

« Elle est venue ici. Pour me présenter ses condoléances, soi-disant. Et puis elle nous a vus, toi et moi, dans ma voiture, alors elle se demandait si je savais où tu étais. Comme tu lui as promis de revenir.

— Lea, je… »

— C'est inutile, Ulf. Contente-toi de partir d'ici.

— Non! Tu sais que j'avais besoin de me cacher quelque part. Johnny était là et il me cherchait. Anita m'a offert le logis et je n'avais pas d'autre endroit où aller. »

Je crus déceler une infime hésitation dans sa voix.

« Donc tu ne l'as pas touchée ? »

Je voulais nier, mais ma bouche resta ouverte, comme paralysée. Knut avait raison ; je ne savais pas très bien mentir non plus.

« Je… je l'ai touchée, peut-être. Mais ça ne signifiait rien.

— Rien ? »

Lea renifla, essuya une larme du revers de sa main. Eut un sourire furtif.

« C'est peut-être mieux ainsi, Ulf. De toute façon, je n'aurais pas pu t'accompagner où que ce soit, mais comme ça, au moins, je n'ai pas besoin de ruminer sur ce que ç'aurait pu être. »

Elle baissa la tête, se tourna et se dirigea vers la sacristie. Aucune formule d'adieu.

Je voulais lui courir après. La retenir. Expliquer. Supplier. Contraindre. Mais toute force semblait m'avoir abandonné.

Et quand le bruit de la porte qui claquait derrière Lea ricocha sous la voûte, je sus que c'était la dernière fois que je la voyais.

Je titubai dans la lumière du jour. Restai sur le perron à fixer les rangées de tombes, les yeux brûlants.

L'obscurité vint. Je tombai. Le trou m'aspira, et tout l'alcool du monde n'aurait pu l'arrêter.

Mais c'est clair, ç'aurait beau ne rien y changer, l'alcool, c'est toujours de l'alcool.

Et quand je frappai et entrai chez Mattis, il avait déjà posé deux bouteilles sur le plan de travail de la cuisine.

«Je me disais bien que tu reviendrais», ricana-t-il.

Je m'emparai des bouteilles et sortis sans un mot.

15

Où une histoire se termine-t-elle?

Mon grand-père était architecte. Il disait que le trait – et l'histoire – s'arrêtait là où il commençait. Et inversement.

Il dessinait des églises. Parce qu'il savait bien le faire, affirmait-il, pas parce qu'il croyait à l'existence de dieux. C'était un gagne-pain. Mais il ajoutait qu'il aurait voulu croire au Dieu pour lequel on le payait à construire des églises. Que ç'aurait peut-être donné plus de sens à son travail.

«J'aurais dû dessiner des hôpitaux en Ouganda. Ç'aurait été fait en cinq minutes, construit en dix jours, et ç'aurait sauvé des vies humaines. Au lieu de quoi, je passe des mois à dessiner des monuments à la superstition qui ne sauvent personne.»

Il qualifiait ses églises d'*abris*. Abris contre l'angoisse de mourir. Abris pour l'indécrottable espoir des hommes que la vie éternelle existe.

«Ç'aurait coûté moins cher de donner aux gens un doudou et un nounours pour se réconforter. Enfin, enfin, mieux vaut dessiner des églises regardables plutôt que de laisser le travail à un de ces architectes imbéciles. Ils polluent le pays avec leurs monstres qu'on appelle églises de nos jours. »

Nous étions assis dans l'odeur de la maison de retraite, mon oncle riche, mon cousin et moi, mais aucun d'eux n'écoutait. Basse ne faisait que répéter des choses cent fois dites. Ils hochaient la tête, faisaient oui, oui, et consultaient discrètement leur montre. Avant d'entrer, mon oncle nous avait prévenus qu'une demi-heure suffirait. Je voulais rester plus longtemps, mais c'était mon oncle qui conduisait. Basse commençait à s'emmêler un peu les pinceaux, mais j'aimais l'écouter quand il répétait ses pensées et convictions sur l'existence. Peut-être parce que cela me procurait le sentiment d'une certaine immuabilité des choses. « *Tu vas mourir, prends-le comme un homme, mon garçon !* » Ma seule inquiétude était que, à l'approche de la fin, le personnel soignant qui portait la croix autour du cou le convainque d'abandonner son âme à Dieu. Je devais penser que la chose serait traumatisante pour un gamin qui avait eu l'athéisme de son grand-père comme foi d'enfance. Je ne croyais pas à la vie après la mort, mais je croyais à la mort après la vie.

C'était en tout cas mon espoir et mon aspiration les plus sincères.

Deux jours s'étaient écoulés depuis que la porte avait claqué derrière Lea.

Deux jours sur le lit de la cabane, deux jours en chute libre à travers le trou, tandis que je vidais l'une des bouteilles de gnôle.

Alors comment concluons-nous cette histoire ?

Déshydraté, je me traînai hors du lit et titubai jusqu'au ruisseau. M'agenouillai dans l'eau et bus. Je restai ensuite à regarder mon reflet dans les hauts-fonds derrière des pierres.

Et je sus.

Tu vas tirer sur le reflet.

Oui, bordel. Je n'allais pas les laisser me faire la peau. J'allais me faire la peau *moi-même*. Le trait s'arrêtait ici. Et que diable y avait-il de si mal à ça? *Son cuatro días*, comme disait Basse. La vie dure quatre jours.

Presque exalté par ma décision, je chancelai jusqu'à la cabane.

La carabine était appuyée contre le mur.

C'était une bonne décision, une décision sans conséquence pour le monde. Personne ne me pleurerait, ne me regretterait, ne subirait de préjudice, oui, on pouvait difficilement trouver quelqu'un dont on puisse mieux se passer que moi. Bref, c'était une décision qui profiterait à tous. Il ne restait donc plus qu'à l'exécuter avant de devenir lâche, avant que les viscosités de mon cerveau pas fiable parviennent à échafauder une argumentation en faveur de la poursuite de cette existence pathétique.

Je mis la crosse par terre et ouvris ma bouche sur le canon. L'acier avait un goût amer et salé de poudre. Pour atteindre la queue de détente avec mon majeur, je dus enfoncer le canon si profondément dans ma gorge que je faillis vomir. Allez. Suicide. Le plus dur, c'est la première fois.

Je tordis l'épaule et appuyai sur la détente.

Il y eut un déclic sec.

Merde.

J'avais oublié que les balles étaient dans le renne.

Mais j'en avais d'autres. Ici quelque part.

Je fouillai dans les placards et les tiroirs. Il n'y avait pas tant d'endroits où j'aie pu mettre la boîte de cartouches. À la fin, je m'agenouillai pour regarder sous le lit. Et elle y était, devant le feutre bitumé. J'enfonçai les cartouches dans le chargeur. Oui, je sais qu'il suffit d'une balle dans le cerveau, mais, dans un sens, il est plus rassurant de savoir qu'il vous reste des munitions en cas de dérapage. Et, oui, mes doigts tremblaient, l'opération prit du temps. Mais j'enclenchai enfin le chargeur de la carabine comme Lea m'avait montré.

J'ouvris de nouveau la bouche sur le canon. Il était mouillé de salive et de glaires. Je m'étirai vers la queue de détente. Mais c'était exactement comme si l'arme avait rallongé. Ou que j'avais rétréci. Était-ce de la résistance?

Non, voilà que mon majeur touchait enfin la détente. Et cette fois, je savais que ça allait se produire, que mon cerveau ne m'arrêterait pas. Que même lui n'arriverait pas à inventer de contre-arguments assez bons, lui aussi aspirait au repos, à ne plus chuter, à une obscurité qui n'était pas cette obscurité-ci.

Je pris ma respiration et commençai à baisser la queue de détente. Le sifflement de mon oreille s'était doublé d'un harmonique ténu. Attendez, il n'était pas dans ma tête, il venait de l'extérieur. Un coup de cloche. Le vent avait dû tourner. Et je ne pouvais qu'admettre que les cloches d'église tombaient à point nommé. J'appuyai un peu plus sur la détente, mais il me manquait encore un millimètre. Je pliai davantage les genoux, dus engloutir davantage de canon, j'avais mal aux cuisses.

Des cloches d'église.

Maintenant ?

Les mariages et les enterrements avaient lieu vers une heure, avais-je cru comprendre. Baptêmes et messes le dimanche. Et il n'y avait pas de jours fériés en août, à ma connaissance.

Le canon glissa dans mon pharynx. Voilà. Maintenant.

Les Allemands.

Lea m'avait raconté qu'ils sonnaient les cloches pour avertir les résistants de l'arrivée des Allemands.

Je fermai les yeux. Les rouvris. Je me redressai. Retirai la carabine de ma bouche. La posai contre le mur et allai à la lucarne qui était orientée vers le village. Je ne vis personne. Je pris les jumelles. Non.

Par mesure de précaution, je vérifiai de l'autre côté aussi, vers les bois. Personne. Je fis remonter les jumelles sur la colline derrière les bois. Ils y étaient.

Ils étaient quatre. Pour l'instant si loin qu'il était impossible de les identifier. Hormis l'un d'eux. Ce qui ne rendait pas très difficile de deviner qui étaient les trois autres.

La silhouette de Mattis roulait de droite à gauche et de gauche à droite. Il avait manifestement jugé insuffisante la somme que je lui avais versée, et encaissé aussi chez ceux d'en face. Il avait sûrement pris un supplément pour leur montrer le chemin par-derrière, comment me rejoindre avec le minimum de risque d'être vu.

Ils arrivaient trop tard. J'allais faire le boulot à leur place. Je n'avais aucun désir d'être torturé avant de mourir. D'abord parce que ça faisait tellement mal, ensuite parce que je ne tarderais pas à révéler que j'avais caché l'argent dans le mur de la cabane et la came sous une latte de plancher dans un appartement vide. Vide parce que les gens semblaient rechigner à reprendre les logements de suicidés. De ce point de vue, Toralf avait commis un faux pas financier en se supprimant dans son propre appartement. Il aurait dû choisir un lieu dont la chute du prix n'affecterait pas ses héritiers. Une cabane de chasse dans un trou perdu du Nord, par exemple.

Je regardai la carabine appuyée contre le mur. Mais ne la touchai pas. J'avais du temps devant moi, ils devaient traverser la forêt et n'arriveraient pas avant au moins dix minutes, peut-être un quart d'heure. Mais ce n'était pas ça.

Les cloches. Elles sonnaient. Elles sonnaient pour moi. Et c'était elle qui tirait les cordes. C'était ma bien-aimée qui se contrefichait des horaires de messe, de ce que le prêtre et les villageois pourraient bien penser, de sa propre vie, même, car naturellement, Mattis comprenait ce qu'elle fabriquait. Mais elle n'avait qu'une seule chose en tête : avertir le type qu'elle ne voulait plus revoir que Johnny se dirigeait vers le chalet.

Et ça changeait des choses.

Un tas de choses.

Ils approchaient de la forêt à présent, et je pus voir dans les jumelles les contours des trois autres. L'un d'eux avait quelque chose d'un oiseau, un cou décharné qui émergeait de ce qui ressemblait à une veste trop grande. Johnny. Je voyais quelque chose dépasser des épaules des deux autres. Des armes. Des carabines automatiques, probablement, le Pêcheur en avait un plein placard dans l'entrepôt du port.

J'évaluai mes chances. Je pouvais parvenir à les cueillir un par un s'ils tentaient de prendre la cabane d'assaut depuis les bois. Mais ils n'allaient pas le faire. Mattis allait les aider à exploiter le terrain, ils allaient traverser le ruisseau ramassés sur eux-mêmes, venir si près qu'ils pourraient pulvériser la cabane à coups de carabine. Je regardai autour de moi. Tous les boucliers dont je disposais étaient faits de bois, autant me poster devant le chalet en agitant la main. Ma seule chance était donc de les abattre avant qu'eux le fassent. Et ils seraient alors proches. Je serais obligé de regarder leurs visages.

Trois d'entre eux disparurent dans la forêt. Le quatrième, l'un des costards armés, resta à crier quelque chose, je n'entendais pas quoi.

De la forêt, ils ne me verraient pas pendant les prochaines minutes. C'était l'occasion de m'enfuir. Je pouvais courir jusqu'au village, prendre la Coccinelle. Si je voulais le faire, c'était maintenant. Prendre la ceinture-portefeuille et…

Deux points.

Ils semblaient descendre vers la forêt en volant au-dessus de la bruyère.

Je comprenais maintenant les appels du type. Ils avaient pensé à tout. Des chiens. Deux. Qui ne faisaient pas de bruit. J'imaginais que des clébards n'aboyant pas quand ils galopaient dehors devaient être foutrement bien dressés. Aussi vite que je coure, je n'aurais pas la moindre chance.

Ça commençait à prendre tournure. Peut-être pas aussi mauvaise que trois minutes plus tôt, quand j'avais eu le canon de la carabine dans la bouche, mais la situation était désormais tout autre. Le bruit distant, ténu, des cloches ne me racontait pas seulement que de sales types étaient en route, mais encore que j'avais bel et bien quelque chose à perdre. C'était comme se prendre deux coups en même temps, un chaud et un froid, l'un était le bonheur, l'autre l'angoisse de mourir. Quelle saloperie, l'espoir !

J'observai autour de moi.

Mon regard tomba sur le couteau de Knut.

Bonheur et angoisse de mourir. Espoir.

J'attendis de voir le quatrième homme et les chiens disparaître dans la forêt, puis j'arrachai la ceinture-portefeuille du mur, ouvris la porte et m'élançai dehors.

Une nuée de mouches s'éleva quand je tombai à genoux à côté du renne. Je vis que les fourmis aussi l'avaient assailli, le pelage de ce cadavre boursouflé paraissait vivant. Je regardai par-dessus mon épaule. Entre la forêt et moi se trouvait la cabane, je serais donc caché jusqu'à leur arrivée. Mais le temps m'était compté.

Je fermai les yeux et plongeai le couteau dans le ventre du renne.

Un long gémissement accompagna la libération du gaz à l'intérieur.

Puis je retirai la lame. Retins mon souffle pendant que les viscères se répandaient hors de la bête. Il y avait moins de sang que je l'escomptais. Il avait dû s'accumuler au fond du cadavre. Coaguler, peut-être. Ou être englouti. Car je voyais maintenant que la vie ne fourmillait pas uniquement sur l'extérieur. La chair crépitait là où les asticots jaunâtres mangeaient, rampaient, se multipliaient. Putain.

Je pris ma respiration. Fermai les yeux, ravalai le vomi que j'avais dans la gorge, et remontai le foulard en soie sur ma bouche et mon nez. Puis j'enfonçai les deux mains dans la carcasse et en tirai une putain d'énorme poche gluante que je supposais être l'estomac. Je coupai un peu çà et là au couteau pour le détacher. Il parut rouler dans la bruyère.

Je regardai fixement les ténèbres de la carcasse. Je ne voulais pas y aller. Dans seulement quelques minutes, quelques secondes peut-être, ils seraient là, mais hors de question que je m'immerge dans cette bouillie putride. Mon corps refusait.

J'entendis un aboiement. Merde.

Je songeai à Lea, à ses yeux, ses lèvres quand son sourire s'étirait sur son visage et que sa voix grave, chaleureuse disait : « Tu y es arrivé, Ulf. »

Je déglutis. Puis j'écartai les pans de peau et me frayai un passage dans le ventre.

C'était un grand mâle et une bonne partie de ses entrailles étaient sorties, mais la place était réduite. Et il me fallait entrer tout entier. Et refermer derrière moi. J'étais trempé de divers liquides corporels, mais il faisait malgré tout chaud là-dedans. Gaz, énergie libérée par la décomposition et chaleur accumulée d'un tas de petites bêtes en activité, comme dans les fourmilières, où il règne toujours une température régulière. Et je ne pus me retenir plus longtemps. J'essayai de ne pas faire de bruit, mais vomis plusieurs fois.

Ensuite, je me sentis un peu mieux. Mais je restais visible de l'extérieur, comment allais-je pouvoir refermer le renne? J'essayai de saisir la peau de part et d'autre de la plaie et d'en rapprocher les lèvres, mais elles étaient si visqueuses qu'elles me glissaient des mains.

J'avais des problèmes plus graves. Dans la bruyère se précipitaient vers moi deux énormes chiens noirs.

Ils se jetèrent sur le renne, et l'un fourra sa tête dedans, chercha à me mordre. Je lui piquai la truffe avec le couteau et sa tête disparut. Puis les aboiements commencèrent. Je *devais* fermer l'échancrure avant que les types arrivent. L'intensité du tapage canin augmenta et j'entendais désormais des voix d'hommes.

«La cabane est vide!

— Il y a une bête ici!»

Je piquai le couteau à travers la peau du renne à

l'intérieur de la plaie, tirai sur le repli du dessus et parvins à y plonger la lame avant de perdre prise.

Je me servis du couteau pour refermer l'ouverture, une ou deux torsions suffirent. Il ne restait plus qu'à attendre en espérant que personne n'avait appris à ces chiens à parler.

J'entendis des pas approcher.

«Dégage ces clébards, Haltères. Je croyais que tu les maîtrisais.»

Je sentis le froid m'envahir. Ouaip, c'était la voix de l'homme qui était venu dans mon appartement pour me tuer. Johnny était de retour.

«Ça doit être le cadavre, expliqua Haltères. C'est pas évident quand tu as un si petit cerveau et autant d'instincts.

— Tu parles des chiens ou de toi?

— Nom de Dieu, ce que ça pue!» gémit une troisième voix, que je reconnus aussitôt: Brynhildsen de l'arrière-boutique, celui qui trichait toujours. «Qu'est-ce qu'il a dans la ramure, là? Et pourquoi est-ce que tous les viscères sont sortis? Est-ce qu'on devrait vérifier…

— Les loups sont passés.»

C'était Mattis.

«Je vous prie de m'excuser, mais faites attention à ne pas respirer cette puanteur, c'est toxique.

— Vraiment?»

La voix tranquille de Johnny.

«Botulisme, précisa Mattis. Les spores volent dans les airs. Une seule suffit à tuer quelqu'un.»

Bon Dieu! Allais-je – après tout cela – mourir comme ça, là-dedans, d'une putain de bactérie?

« Les symptômes sont une fatigue visuelle tenace, poursuivait Mattis. Ainsi que la disparition des facultés d'expression. C'est pour cela que nous brûlons les rennes tout de suite. Pour pouvoir continuer de nous voir et de mener des conversations civilisées. »

Il y eut une pause au cours de laquelle j'imaginai Johnny dévisageant Mattis et essayant d'interpréter son insondable demi-rictus.

« Haltères et Brynhildsen, ordonna Johnny, retournez à la cabane. Et emmenez ces foutus cabots.

— Il n'y est pas, c'est impossible, protesta Brynhildsen.

— Je sais. Mais si nous trouvons l'argent et la came, nous saurons qu'il est toujours dans les parages. »

J'entendis les jappements désespérés des chiens qu'on entraînait à l'écart.

« Je vous prie de m'excuser de vous poser la question, mais si vous ne trouvez rien ?

— Alors il se pourrait que vous ayez raison, répondit Johnny.

— Je *sais* que c'est lui qui était sur ce voilier. Il n'était qu'à cinquante mètres du bord et c'est tout de même un vilain sudiste comme nous n'en avons pas par ici. Avec un bon *færing* et ce vent régulier, il a pu faire un sacré chemin en vingt-quatre heures.

— Et vous étiez allongé au bord de l'eau au milieu de la nuit ?

— Pas de meilleur endroit où dormir en été. »

Je sentis quelque chose ramper au bas de ma jambe. Quelque chose de trop grand pour être un ver ou une fourmi. Je respirai par la bouche, pas par le nez. Vipère ou souris ? S'il vous plaît, faites que ce soit une souris. Une mignonne petite souris velue, même affamée. Mais pas une…

« Vraiment ? »

Johnny baissa encore la voix.

« Et le chemin le plus rapide pour venir à la cabane et à la forêt est de faire le *tour* de toute la crête ? Nous avons mis plus d'une heure. La dernière fois, quand je suis monté seul, il m'a fallu à peine une demi-heure.

— Oui, mais il vous aurait tiré dessus s'il avait été là. »

La bête – ou ce que c'était – remontait mon pied. J'éprouvais un besoin presque irrépressible de la dégager d'une secousse de la jambe, mais je savais que le moindre geste ou bruit serait perçu.

« Vous savez quoi ? ricana Johnny. Ça, j'en doute.

— Ah ? Vous avez beau être une cible étroite d'épaules, sudiste, votre tête est assez grande.

— Ce n'est pas que Jon Hansen ne sache pas tirer, c'est qu'il n'*ose* pas.

— Ah bon ? J'aurais indéniablement pu vous montrer un chemin plus rapide si vous me l'aviez dit un peu plus tôt…

— Je l'*ai* dit, espèce de Same de mes deux !

— … en norvégien du Nord. »

La bête avait atteint mon genou et continuait son ascension sur ma cuisse. Je me rendis alors compte qu'elle se trouvait à l'intérieur de mon pantalon.

« Chut ! »

Avais-je crié ou bougé ?

« C'était quoi, ce bruit ? »

Il régnait un silence parfait à présent. Je retins mon souffle. Cher Dieu…

« Des cloches d'église, expliqua Mattis. C'est l'enterrement du William Svartstein aujourd'hui. »

Et si c'était un lemming ? J'avais entendu dire que c'étaient de sacrés énervés et la bête approchait maintenant des bijoux de la couronne. Sans me mouvoir, je saisis la jambe de mon pantalon et la resserrai dans mon poing, si bien que le tissu se tendit sur ma cuisse et bloqua tout passage.

« Bon, j'en ai assez de cette puanteur, déclara Johnny. Allons vérifier le ruisseau. Si les chiens ont été perturbés par l'odeur du cadavre, il a pu se cacher là-bas. »

J'entendis des pas sur la bruyère. Dans mon pantalon, la bête buta un moment contre la fermeture du tunnel avant de se résigner et de repartir par le chemin d'où elle était venue. Aussitôt après j'entendis une voix crier de la cabane :

« Il n'y a personne, juste la carabine et son costume !

— OK, les gars, on rentre avant qu'il se mette à pleuvoir. »

J'attendis pendant ce qui me parut être une heure, mais qui pourrait avoir été dix minutes, puis je retirai le couteau de la peau et regardai dehors.

La voie était libre.

Je rampai dans la bruyère jusqu'au ruisseau. Me plongeai dans le bassin glacé, laissai l'eau ruisseler sur moi et me laver de la mort, du choc, de la putréfaction.

Tout doucement, je revins à la vie.

16

Cher Dieu…

Je ne l'avais pas dit, mais je l'avais pensé, dans la carcasse, je l'avais pensé aussi haut que si je le criais à l'angle d'une rue. Et les monstres s'en étaient allés, comme ils le faisaient quand j'étais petit et qu'ils étaient sous mon lit, dans le bac à sable ou bien attendaient dans le placard.

Pouvait-ce être aussi simple ? Suffisait-il de prier ?

Assis devant la cabane, je fumais en regardant le ciel. Les nuages de plomb recouvraient désormais le ciel et avaient apporté l'obscurité. On aurait cru la météo en proie à une fièvre croissante. La moiteur était oppressante, il faisait chaud, glacial l'instant suivant dans les rafales.

Dieu. Salut. Paradis. Vie éternelle. L'idée était séduisante. Taillée sur mesure pour les cœurs las et effrayés. Si séduisante que grand-père avait fini par céder, trahir sa raison et miser sur l'espoir. «On ne dit pas non à quelque chose de gratuit, tu sais», m'avait-il expliqué avec un clin d'œil. Comme un ado de seize ans sans le sou, qui entre dans une boîte de nuit avec une fausse carte d'identité.

J'emballai les affaires que j'allais emporter. Vêtements, chaussures, costume, carabine et jumelles. Les nuages n'avaient pas encore lâché de pluie, mais ça ne pourrait plus tarder.

Johnny allait revenir. Car, de toute évidence, il n'avait pas cru Mattis. Ce qui bien entendu était légitime. Le détour par la colline. Les loups. Le botulisme. Son histoire de m'avoir vu partir en voilier. L'enterrement de William Svartstein, «Pierre Noire».

Je ne me souvenais pas de grand-chose de mes deux années de fac gâchées, mais je me souvenais de William Blackstone, le penseur du droit qui, au dix-huitième siècle, avait vécu là où vivait Mattis, à la croisée entre foi et droit. Je m'en souvenais, parce que mon grand-père s'était servi de lui, d'Isaac Newton, Galilée et Søren Kierkegaard pour illustrer que même les cerveaux les plus affûtés étaient disposés à croire des balivernes chrétiennes s'ils y voyaient une possibilité d'échapper à la mort.

Ce n'était pas Mattis qui m'avait dénoncé. Il m'avait au contraire sauvé. Qui donc alors avait contacté Johnny pour lui dire que, en définitive, je n'étais pas parti de Kåsund?

Une nouvelle rafale, comme si le vent cherchait à me signaler l'urgence. À l'ouest, le tonnerre gronda. Oui, oui, j'y vais. À cette heure nocturne, si Johnny et les autres n'avaient pas quitté Kåsund, ils étaient quelque part en train de dormir.

J'écrasai ma cigarette sur le mur de la cabane,

saisis mon sac en cuir et suspendis la carabine à mon épaule. Je suivis le sentier sans regarder derrière moi. Juste devant. Et dorénavant, il en irait ainsi. Ce qui était derrière moi allait pouvoir y rester.

Le ciel tonnait, crépitait d'expectative alors que je marchais sur le sentier de terre. Il faisait si sombre que je ne voyais que les contours des maisons et quelques fenêtres illuminées.

Je ne croyais, n'attendais ni n'espérais quoi que ce soit. Je voulais juste passer chez elle, lui rendre et la remercier de m'avoir prêté la carabine et les jumelles. Et ma vie. Je voulais aussi lui demander si d'aventure elle avait envie d'en passer le reste avec moi. Ensuite je partirais d'ici, avec ou sans elle.

Je passai devant l'église. La maison d'Anita. La chapelle. Et me retrouvai devant la maison de Lea.

Un doigt de sorcière crochu brilla soudain dans le ciel et pointa sur moi. La maison, le garage et une épave de Volvo baignèrent un instant dans une lumière fantomatique bleuâtre. Puis on entendit un prélude grésillant, et l'orage éclata.

Ils étaient dans la cuisine.

Je les voyais par la fenêtre, la lumière était allumée. Lea était appuyée contre le plan de travail, le corps arqué dans une posture raide anormale. Ove avait la tête penchée en avant, il tenait à la main un grand couteau. Plus grand que celui dont il s'était servi sur moi. Il le leva devant le visage de Lea. La menaçait. Elle s'arqua davantage, s'éloignant du couteau, de son beau-frère. Il lui saisit la gorge de sa main libre, je voyais qu'il criait.

J'épaulai la carabine. Trouvai sa tête dans le viseur. Il se tenait de profil par rapport à la fenêtre, je le toucherais donc à la tempe. Mais une histoire de réfraction de la lumière dans le verre me tourbillonna dans le cerveau, et je baissai un tout petit peu mon viseur. Hauteur de poitrine. Je levai les coudes, respirai profondément une seule fois, je n'avais pas le temps pour plus, baissai les coudes, expirai et appuyai lentement sur la queue de détente. Je me sentais si étrangement calme. Puis un nouveau doigt de lumière lacéra le ciel et je vis sa tête se tourner machinalement vers la fenêtre.

L'obscurité s'était refaite autour de moi, mais il continuait de fixer la vitre. Dans ma direction. Il m'avait vu. Il avait l'air plus ravagé que la dernière fois, avait dû passer des jours à se soûler. Il était rendu psychotique par le manque de sommeil ou fou par l'amour, le deuil de son frère, sa captivité dans une vie dont il ne voulait pas. Oui, il en allait peut-être ainsi, peut-être était-il comme moi.

Tu vas tirer sur le reflet.

Telle était donc ma destinée : tirer sur un homme, me faire arrêter par la police, être condamné, et échouer dans une prison, où les hommes du Pêcheur ne tarderaient pas à faire irruption pour inscrire leur point final. Soit. Je l'acceptais. Ce n'était pas ça le problème. Le problème, c'était que j'avais vu son visage.

Je sentis mon index se flétrir, le ressort de la

détente prendre le dessus et repousser mon doigt inerte. J'allais faillir. J'allais *encore* faillir.

Au-dessus de moi, le tonnerre éclata une nouvelle fois, comme une foutue voix de commandement.

Knut.

Futabayama lui-même a perdu et perdu avant de commencer à gagner.

J'inspirai de nouveau. Mes défaites, je les avais créées. Je plantai le viseur dans l'abominable trogne d'Ove et tirai.

Le coup retentit au-dessus des toits. J'abaissai l'arme. Regardai par la vitre brisée. Les mains devant sa bouche, Lea regardait fixement quelque chose. À côté d'elle, sur le mur blanc au-dessus de sa tête, on aurait dit qu'avait été peinte une rose grotesque.

Le dernier écho s'évanouit. Tout Kåsund avait dû l'entendre, les lieux n'allaient pas tarder à grouiller de monde.

Je gravis le perron. Frappai, je ne sais pas pourquoi. Entrai. Elle était toujours dans la cuisine, n'avait pas bougé, fixait le corps au sol, qui gisait dans une mare de sang. Elle ne leva pas les yeux, je ne savais pas si elle s'était même rendu compte de ma présence.

« Tu vas bien, Lea… ? »

Elle acquiesça.

« Knut…

— Je l'ai envoyé chez mon père, chuchota-t-elle. Je me suis dit que s'ils comprenaient pourquoi je sonnais les cloches, ils viendraient ici et…

— Merci. Tu m'as sauvé. »

J'inclinai la tête et regardai le mort. Il me renvoya un regard vitreux. Il avait pris un coup de soleil depuis la dernière fois, pour le reste, son visage était intact. Juste un trou d'apparence presque inoffensive dans le front, au-dessous de sa mèche claire.

« Il est revenu, chuchota-t-elle. Je *savais* qu'il reviendrait. »

Je m'en rendis alors compte. Son oreille gauche n'était pas blessée. Et elle aurait dû, la morsure ne datait que de deux jours. L'explication commença à m'apparaître. Quand Lea disait qu'il était revenu, elle voulait dire…

« Je *savais* qu'il n'y avait pas suffisamment d'océan ni de terre pour venir à bout de ce démon. Même si nous l'ensevelissions. »

C'était Hugo. Le frère jumeau. J'avais tiré sur le reflet.

Je fermai fortement les yeux. Les rouvris. Mais rien n'était changé, je n'avais pas rêvé toute la scène. J'avais assassiné son mari.

Je dus m'éclaircir la voix pour être audible :

« J'ai cru que c'était Ove. Qu'il essayait de te tuer. »

Elle leva enfin le regard sur moi.

« Mieux valait tuer Hugo qu'Ove. Ove n'aurait jamais osé me toucher. »

Je fis un signe de tête vers le corps.

« Mais lui ?

— Il était à un coup de couteau de le faire.

— Parce que ?

— Parce que je lui ai raconté.

— Quoi donc ?

— Que je voulais m'en aller d'ici. Que je voulais emmener Knut. Que je ne voulais plus jamais le revoir.

— Lui non plus?

— Je lui ai dit que… j'en aimais un autre.

— Un autre.

— Toi, Ulf.»

Elle secoua la tête.

«Je n'y peux rien. Je t'aime.»

Les mots vibrèrent entre les murs comme un cantique. Et la lueur bleue de son regard était si forte que je dus baisser les yeux. Elle avait un pied dans la mare de sang grandissante.

Je fis un pas vers elle. Deux. Mis les deux pieds dans le sang. Posai délicatement les mains autour de ses épaules. Voulais d'abord savoir si elle était d'accord avant de l'attirer à moi. Mais je n'en eus pas le temps car elle tomba contre moi et enfouit son visage sous mon menton. Sanglota une, deux fois. Je sentais ses larmes chaudes couler sous le col de ma chemise.

«Viens», dis-je.

Je la soutins jusqu'au salon, un éclair illumina la pièce et me montra le chemin du canapé.

Nous nous allongeâmes dessus, l'un tout contre l'autre.

«J'ai eu un choc quand d'un seul coup il s'est trouvé à la porte de la cuisine, murmura-t-elle. Il m'a raconté qu'il s'était soûlé dans le bateau avec le moteur en marche. À son réveil, il était loin en mer et en panne d'essence. Il avait des rames, mais le vent ne faisait que le repousser vers le large. Les premiers jours, il a pensé que c'était aussi bien. Nous lui avions fait croire que tout était sa faute, qu'il ne valait plus rien après avoir blessé Knut. Mais il a pris du colin, et il a plu, alors il a survécu. Et puis le vent a tourné. Et alors il a compris que ce n'était pas sa faute. »

Elle eut un rire amer.

« Il était là à m'expliquer qu'il allait régler ça, qu'il allait nous remettre sur la bonne voie, Knut et moi. Quand je lui ai annoncé que nous allions partir, il m'a demandé s'il y avait quelqu'un d'autre. Je lui ai répondu que nous allions partir seuls, mais que, oui, j'aimais quelqu'un d'autre. Il me paraissait important qu'il le sache. Que j'étais capable d'aimer un homme. Car il comprendrait alors qu'il ne pourrait jamais me récupérer. »

Pendant qu'elle parlait, la température de la pièce avait chuté et elle se recroquevilla encore plus près de moi. Personne n'était arrivé pour voir pourquoi on avait tiré. Et quand le coup de tonnerre suivant éclata, je compris pourquoi. Personne ne viendrait.

« Qui est au courant de son retour ?

— À ma connaissance, personne. Cet après-midi, il a trouvé des amers familiers et ramé vers la maison. Il a amarré son bateau au ponton et est venu directement ici.

— Quand ça ?

— Il y a une demi-heure. »

Une demi-heure. Il faisait déjà sombre et l'orage avait dû faire rentrer les gens chez eux. Personne n'avait vu Hugo ni ne savait qu'il était en vie. *Avait été* en vie. À part peut-être un homme, un homme qui se dandinait volontiers dehors la nuit. Pour tous les autres, Hugo Eliassen n'était qu'un pêcheur de plus réclamé par l'océan. Quelqu'un qu'ils ne cherchaient plus. J'aurais voulu que ce soit moi. Moi qu'on ne cherchait plus. Mais comme l'avait déclaré Johnny : *le Pêcheur ne cesse jamais de chercher ses débiteurs avant d'avoir vu leur cadavre.*

Un nouvel éclair illumina le salon. Puis l'obscurité se fit. Mais je l'avais vu. Vu très clairement. Comme je le disais, le cerveau est une invention curieuse et merveilleuse.

« Lea ?

— Oui ? chuchota-t-elle au creux de mon cou.

— Je crois que j'ai un plan. »

17

Tactique de la terre brûlée.

C'est ainsi que, intérieurement, je qualifiais ce plan. J'allais battre en retraite comme les Allemands. Et puis j'allais disparaître. Disparaître totalement.

Notre première tâche fut d'envelopper le cadavre dans de grands sacs en plastique que nous ficelâmes avec une corde. Ensuite nous lavâmes soigneusement le sol et les murs. Retirâmes la balle du mur de la cuisine. Lea déchargea la brouette des jantes qui s'y trouvaient et la manœuvra jusqu'au garage, où je me tenais prêt. J'y affalai le corps. Glissai la carabine dessous. Nous attachâmes une corde à l'avant pour que Lea puisse m'aider en tirant la brouette. J'allai dans l'atelier et y dégotai une petite tenaille. Puis nous partîmes.

Il n'y avait personne dehors et il régnait une nuit rassurante. Je calculai que nous avions encore deux ou trois heures devant nous avant que les gens commencent à se lever, mais nous avions tendu une bâche au-dessus de la brouette afin de parer à toute éventualité. Le trajet fut plus facile que je

226

ne l'escomptais. Quand mes bras fatiguaient, Lea faisait son quart derrière la brouette et je tirais.

C'était Knut qui les avait vus arriver en car.

« Il est venu en courant m'informer qu'il y avait trois hommes plus deux chiens, raconta Lea. Il voulait monter te prévenir, mais je lui ai dit que c'était trop dangereux avec ces chiens, ils sentiraient les traces et le traqueraient peut-être lui aussi. Alors j'ai couru chez Mattis lui dire qu'il fallait qu'il m'aide.

— Mattis ?

— Quand tu m'as raconté qu'il t'avait demandé de l'argent pour certains services, j'ai compris lesquels. Il voulait être payé pour ne pas contacter Oslo et te dénoncer.

— Mais comment savais-tu qu'il ne l'avait pas fait ?

— Parce que c'est Anita qui l'a fait.

— Anita ?

— Elle n'est pas venue me présenter ses condoléances. Elle est venue voir si j'avais une bonne explication au fait que j'étais en voiture avec toi. Et j'ai vu à son expression que mon explication n'était pas assez bonne. Elle sait que je n'ai pas juste accompagné un sudiste étranger à Alta pour faire des courses. Et je sais de quoi est capable une femme trahie… »

Anita. *Et personne ne promet rien à Anita sans le tenir, compris ?*

Elle avait eu mon âme en gage, le numéro de téléphone de Johnny et assez de jugeote pour additionner deux plus deux.

«Mais Mattis, tu avais confiance en lui?

— Oui.

— C'est un fieffé menteur et un roublard.

— Et un homme d'affaires cynique qui ne te donne jamais une goutte de plus que ce pour quoi tu as payé. Mais il tient sa part du marché. Et puis il me doit quelques services. Je lui ai demandé d'essayer de les éloigner de toi ou au moins de les retarder pendant que j'allais à l'église sonner les cloches.»

Je lui racontai que Mattis avait débité des craques et prétendu m'avoir vu quitter Kåsund en bateau. Et que, comme ils insistaient malgré tout pour vérifier la cabane, il les y avait menés par un détour. Sans ce détour, ils seraient sans doute arrivés avant que le vent tourne et que j'entende les cloches de l'église.

«Un homme étrange, conclus-je.

— Un homme étrange», répéta-t-elle en riant.

Nous mîmes une heure pour monter à la cabane. Le temps s'était nettement refroidi, mais les nuages restaient très bas. Je priai qu'il ne se mette pas à pleuvoir. Pas tout de suite. Et me demandai si cette histoire de prières était en train de virer à la manie.

Quand nous approchâmes, il me sembla voir des silhouettes détaler sans bruit sur le versant de la colline. Les viscères du renne étaient éparpillés, son ventre béant.

Ils s'étaient livrés à une recherche minutieuse de l'argent et de la came, le matelas était éventré, le placard renversé, le poêle ouvert et la cendre dispersée. La dernière bouteille de gnôle était couchée sous la table, les lattes du plancher et celles du lambris avaient été arrachées. Ce qui m'indiquait que la came ne serait guère en sécurité s'il leur venait à l'esprit de chercher chez Toralf. Mais soit, je n'avais pas l'intention d'aller la reprendre. D'une manière générale, je n'avais désormais aucune intention d'avoir quoi que ce soit à faire avec la drogue. J'avais mes raisons. Pas nombreuses, peut-être, mais toutes très bonnes.

Lea attendit dehors pendant que je découpais le plastique pour en sortir le corps. Je déroulai plusieurs épaisseurs de feutre bitumé sur le lit avant de hisser le cadavre dessus. Je lui retirai son alliance. Peut-être avait-il maigri en mer, peut-être avait-elle toujours été trop grande. Puis j'ôtai la chaîne avec ma médaille et la lui accrochai autour du cou. Je cherchai ensuite du bout de la langue l'endroit où mon incisive s'était cassée, serrai la petite tenaille autour de la dent correspondante et la brisai au ras de la gencive. Posai la carabine sur son ventre et plaçai la balle déformée sous sa tête. Jetai un coup d'œil sur ma montre. Le temps passait vite.

Je recouvris le corps de quelques épaisseurs supplémentaires de feutre bitumé, ouvris la bouteille, arrosai d'alcool le lit et la cabane. Il en restait une petite gorgée. J'hésitai un peu. Puis je retournai la bouteille et vis le breuvage pas si noble de Mattis tomber et imprégner les lattes du plancher sèches comme de l'amadou.

Je sortis une allumette, frémis en entendant le raclement rugueux de la tête de soufre sur le flanc de la boîte, la vis s'enflammer.

Maintenant.

Je lâchai l'allumette sur le feutre.

J'avais lu que les corps ne brûlent pas bien. Nous sommes constitués à soixante pour cent d'eau, c'est peut-être pour cela. Mais quand je vis la fougue des flammes sur le feutre, je partis du principe qu'il ne resterait à la fin pas beaucoup de viande sur le barbecue.

Je sortis, laissai la porte ouverte pour aviver les premières flammes, qu'elles poussent et grandissent.

Il était inutile de me faire du souci.

Les flammes semblaient nous parler. D'abord murmure maîtrisé, elles progressèrent peu à peu en volume et en impétuosité, pour finalement devenir un rugissement continu. Knut lui-même aurait été satisfait de ce feu. Comme si elle savait à qui je pensais, Lea observa:

«Knut avait l'habitude de dire que son père allait brûler.

— Et nous, on va brûler?

— Je ne sais pas, répondit-elle en me prenant la main. J'ai essayé d'y réfléchir, mais, chose étrange, je ne ressens rien. Hugo Eliassen. J'ai vécu plus de dix ans sous le même toit que cet homme, et pourtant je ne suis pas triste, je n'ai pas de peine pour lui. Mais je ne suis plus en colère contre lui, donc je ne suis pas contente non plus. Et je n'ai pas peur. Cela fait si longtemps que je n'ai pas eu peur. Peur pour Knut, peur pour moi. J'ai même eu peur pour toi. Mais tu sais ce qu'il y a de plus étrange?»

Elle déglutit en observant la cabane, qui n'était

maintenant qu'une flamme énorme. Lea était infiniment belle à la lueur rouge du brasier.

«Je n'ai pas de remords. Je n'en ai pas maintenant et je n'en aurai pas plus tard. Si ce que nous faisons est un péché mortel, je brûlerai, car je n'ai pas l'intention de demander pardon. La seule chose que j'aie regrettée ces derniers jours…»

Elle se retourna vers moi.

«… c'est de t'avoir laissé partir.»

La température nocturne avait brutalement chuté, ce devait être la chaleur de la cabane qui embrasait mes joues et mon front.

«Merci de ne pas avoir abandonné, Ulf.»

Elle caressa ma joue brûlante.

«Hm. Pas Jon?»

Elle s'appuya contre moi. Ses lèvres étaient tout près des miennes.

«Avec ce plan, je crois qu'il serait plus sage de continuer de t'appeler Ulf.

— À propos de nom et de plan, veux-tu m'épouser?»

Elle me lança un regard sévère.

«Tu demandes ma main *maintenant*? Alors que mon mari se réduit en cendres sous nos yeux?

— C'est le plus pratique.

— Pratique! souffla-t-elle.

— Pratique.»

Je croisai les bras. Jetai un œil sur le ciel. Ma montre.

«Sans compter que je t'aime plus que je n'ai jamais aimé aucune femme, et que j'ai entendu dire que les læstadiens n'ont même pas le droit de s'embrasser avant le mariage. »

La pluie d'étincelles monta au ciel quand le toit de la cabane s'effondra et que les murs s'écroulèrent. Elle m'attira à elle. Nos lèvres se rencontrèrent. Et cette fois, il n'y avait aucun doute.

C'était elle qui m'embrassait.

Lorsque nous regagnâmes en hâte le village, la cabane était déjà une ruine fumante derrière nous. Nous étions tombés d'accord pour que je me cache dans l'église pendant qu'elle faisait ses bagages, allait chercher Knut chez ses grands-parents et venait en Coccinelle.

« Tu n'as pas besoin d'emporter grand-chose, précisai-je en tapotant la ceinture-portefeuille. On pourra acheter ce dont on a besoin. »

Elle acquiesça.

« Ne te montre pas, je viendrai te chercher à l'intérieur. »

Nous nous séparâmes sur le chemin de terre, à l'endroit précis où j'avais rencontré Mattis la nuit de mon arrivée à Kåsund. Cela me paraissait remonter à une petite éternité. Et ce jour-là comme alors, je poussai la lourde porte de l'église et m'avançai jusqu'à l'autel. J'y restai à contempler le crucifié.

Grand-père avait-il cru à cette histoire de ne pas pouvoir refuser quelque chose de gratuit, était-ce la seule raison pour laquelle il s'était rendu à la superstition ? Ou se trouvait-il que mes prières avaient été entendues, que le type du crucifix m'avait sauvé ? Lui devais-je quelque chose ?

J'inspirai.

À lui? Une foutue figurine en bois. Sur la plaine de Transtein, on vénérait des pierres, et ça marchait sûrement aussi bien.

Mais quand même.

Merde.

Je m'assis sur le banc de devant. Pensai. Et ce n'est pas mettre dans ma bouche des mots trop grands que de dire que je pensais à la vie et à la mort.

Vingt minutes plus tard, la porte s'ouvrit violemment. Je pivotai sur moi-même. Il faisait trop sombre pour voir qui c'était. Mais ce n'était *pas* Lea, la démarche était trop pesante.

Johnny? Ove?

Mon cœur battait la chamade tandis que j'essayais de me rappeler pourquoi j'avais jeté le pistolet dans l'océan.

« Alors? »

La voyelle était longuement étirée. La voix grave m'était familière.

« Vous avez une conversation avec le Seigneur? Pour savoir si vous faites ce qu'il faut, je suppose? »

Pour une raison ou pour une autre, j'identifiai distinctement les traits de Lea dans son père alors qu'il semblait sortir tout droit de son lit. Le peu de cheveux qu'il avait n'étaient pas peignés comme les autres fois où je l'avais vu, et sa chemise était boutonnée de travers. Cela le rendait moins effrayant, mais, quoi qu'il en soit, quelque chose dans l'inflexion de sa voix et l'expression de son visage m'indiquait qu'il venait en paix.

«Je ne suis pas encore tout à fait un croyant. Mais je n'exclus plus d'être quelqu'un qui doute.

— Tout le monde doute. Et personne davantage que les croyants.

— Ah bon. Vous aussi?

— Évidemment que je doute.»

Jakob Sara s'assit à côté de moi en poussant un gémissement. Ce n'était pas un homme lourd, mais le banc sembla ployer.

«C'est pour cela qu'on dit croire plutôt que savoir.

— Même pour un prédicateur?

— Surtout pour un prédicateur.»

Il soupira.

«Il doit se confronter à ses propres convictions chaque fois qu'il va prêcher la Parole, il doit fouiller son âme, car il sait que doute et foi vibreront dans ses cordes vocales. Est-ce que je crois aujourd'hui? Est-ce que je crois *assez* aujourd'hui?

— Hm. Et quand vous montez en chaire sans croire assez?»

Il se passa la main sur le menton.

«Ces jours-là, il faut croire que la vie de chrétien est bonne en soi. Que le renoncement, ne pas céder au péché, a une valeur pour l'homme dans cette vie terrestre aussi. À peu près comme les sportifs, dont j'ai lu qu'ils trouvent un sens à la douleur et à l'effort, même s'ils ne gagnent jamais. Si le royaume des cieux n'existait pas, il y aurait au moins une vie de chrétien bonne et sûre, où nous travaillons, vivons frugalement, acceptons les possibilités que nous offrent Dieu et la nature, prenons soin les uns des autres. Savez-vous ce que mon père, qui lui aussi était prédicateur, disait du læstadianisme? Que le seul décompte de ceux que le mouvement a sauvés de l'alcoolisme et de familles brisées justifierait de prêcher un mensonge.»

Il inspira profondément.

«Mais il n'en va pas toujours ainsi. Vivre selon les Écritures en coûte parfois plus qu'il ne faut. Comme ç'a été le cas pour Lea… Comme *moi*, dans mon égarement, j'ai fait en sorte que ce le soit pour Lea.»

Un léger tremblement s'était immiscé dans sa voix.

«Il m'a fallu des années pour le comprendre, mais nul ne devrait être forcé par son père à vivre dans un tel mariage, avec un homme que vous haïssez, un homme qui vous a agressée.»

Il leva la tête, dirigea son regard sur le crucifix.

«Oui, je maintiens que c'était juste selon les Écritures, mais le salut lui-même peut avoir un coût trop élevé.

— Amen.

— Et vous deux, vous et Lea…»

Il se tourna vers moi.

«Je l'ai bien vu dans la chapelle. Vous étiez tous les deux sur le banc du fond. Cette manière que vous aviez de la regarder quand vous pensiez qu'elle ne vous voyait pas, et réciproquement…»

Il secoua la tête en souriant tristement.

«Maintenant, on peut naturellement discuter de ce que les Écritures disent réellement du remariage, et surtout du remariage avec un mécréant. Mais je n'ai jamais vu Lea comme ça. Et je ne l'ai jamais *entendue* comme tout à l'heure, quand elle est venue chercher Knut. Vous avez rendu sa beauté à ma fille, Ulf. Oui, je dis les choses telles qu'elles sont, vous semblez avoir commencé à guérir ce que j'ai détruit. »

Il posa une grande main ridée sur mon genou.

« Et vous faites ce qu'il faut, vous devez partir de Kåsund. La famille Eliassen est puissante, plus puissante que moi, et ils ne vous laisseraient jamais avoir de vie ici, vous et Lea. »

Je comprenais à présent. Après l'assemblée à la chapelle, quand il m'avait demandé si j'avais l'intention de l'emmener loin… il ne l'entendait pas comme une menace. C'était une prière.

« Et puis… »

Il me tapota le genou.

« Vous êtes mort, Ulf. J'ai reçu mes instructions de Lea. Vous étiez une âme seule, déprimée, qui a mis le feu à la cabane de chasse avant de se coucher sur le lit et de se tirer une balle de carabine dans le front. Le corps carbonisé aura une médaille métallique avec votre nom dessus, et à la fois Ove Eliassen et moi pourrons confirmer au *lensmann* que vous aviez perdu une incisive. J'expliquerai que vous aviez exprimé le souhait d'être enterré ici, je m'occuperai des papiers, je parlerai au prêtre et on vous inhumera vite fait bien fait. Vous souhaitez des cantiques en particulier ? »

Je me tournai vers lui. Vis une dent en or scintiller dans la pénombre.

« Je serai le seul ici à connaître la vérité, poursuivit le vieux. Et même moi, je ne saurai pas où vous partez. Je ne veux pas le savoir. Mais j'espère que je reverrai Lea et Knut un jour. »

Il se leva, ses genoux craquèrent.

Je me levai aussi et lui tendis la main.

« Merci.

— C'est à moi de vous remercier. De m'avoir donné l'occasion de réparer au moins un peu ce que j'ai fait à ma fille. Bon vent, la paix de Dieu, et que tous ses anges vous accompagnent sur la route. »

Il partit et je le suivis des yeux. Sentis un courant d'air froid quand la porte s'ouvrit puis se referma.

J'attendis. Consultai ma montre. Lea mettait plus de temps que je ne pensais. J'espérais qu'elle n'avait pas eu de problèmes. Ou de remords. Ou…

J'entendis le bredouillement d'un moteur de quarante chevaux. La Coccinelle. J'allais me diriger vers la porte de l'église quand elle s'ouvrit à toute volée et laissa entrer trois personnes.

« Reste où tu es ! tonna une voix autoritaire. On n'en a pas pour longtemps. »

L'homme se dandina rapidement entre les bancs. Derrière lui arrivait Knut, mais c'est Lea qui captura mon regard. Elle était vêtue de blanc. Était-ce sa robe de mariée ?

Mattis se posta devant l'autel. Chaussa une paire de petites lunettes comiques et feuilleta des papiers qu'il avait sortis de la poche de son anorak. Knut sauta sur mon dos.

« Moustique sur l'échine ! m'exclamai-je en me contorsionnant.

— Non, *rikishi* Knut-*san* du Finnmark *ken* !»
cria Knut d'une voix aiguë en s'agrippant à moi.

Lea arriva à mes côtés, glissa sa main sous mon
bras.

«Je me suis dit que ce serait mieux de régler ça
tout de suite, chuchota-t-elle. Pratique.

— Pratique», répétai-je.

«Allons droit à l'essentiel, fit Mattis, qui toussota et rapprocha les papiers de son visage. En
présence de Dieu notre Créateur et en vertu de
mes fonctions au tribunal norvégien, je te prie de
m'excuser de te poser la question, mais veux-tu,
Ulf Hansen, prendre Lea Sara, qui se tient auprès
de toi, pour épouse?

— Oui», prononçai-je haut et distinctement.

Lea serra ma main.

«Veux-tu l'aimer, l'honorer et lui être fidèle…»

Il tourna la page.

«… dans les bons jours comme les mauvais?

— Oui.

— De même, je te demande, Lea Sara, veux-tu…

— Oui!»

Mattis regarda par-dessus ses lunettes.

«Hein?

— Oui, je veux prendre Ulf Hansen pour époux
et je promets de l'aimer, de l'honorer et de lui être
fidèle jusqu'à ce que la mort nous sépare. Ce qui ne
devrait pas tarder si nous ne nous dépêchons pas.

— Certes, certes.»

Mattis feuilleta ses papiers.

«Voyons voir, voyons… là. Donnez-vous la main.
Oui, je vois que c'est déjà fait. Alors… oui! En pré-

sence de Dieu – et en la mienne aussi, enfin des représentants des autorités juridiques norvégiennes – vous vous êtes maintenant promis… tout un tas de choses. Et vous vous êtes donné la main. Je vous déclare donc époux légitimes.»

Lea se tourna vers moi.

«Lâche, Knut.»

Knut lâcha, glissa de mon dos et se réceptionna par terre derrière moi. Puis Lea m'embrassa furtivement et se tourna de nouveau vers Mattis.

«Merci. Tu signes?

— Bien sûr.»

Mattis enfonça le bout d'un stylo-bille sur sa poitrine, inscrivit son nom sur l'un des papiers et le lui tendit.

«C'est un papier officiel que vous devriez pouvoir utiliser où que vous soyez.

— Pour avoir de nouveaux papiers d'identité aussi? demandai-je.

— Ta date de naissance est inscrite ici, voilà ta signature et la mienne, et ton épouse peut témoigner de ton identité, donc oui, vous devriez en tout cas pouvoir obtenir un passeport provisoire dans une ambassade de Norvège.

— C'est tout ce qu'il nous faut.

— Où partez-vous?»

Nous le regardâmes sans un mot.

«Bien entendu, fit-il en riant doucement et en secouant la tête. Bon voyage.»

Et il se trouva ainsi que, en pleine nuit, nous sortîmes de l'église comme mari et femme. J'étais marié. Et si c'était vrai, ce que disait grand-père, le plus dur, c'était la première fois. Nous allions maintenant juste sauter dans la Coccinelle et sortir de Kåsund avant que des gens se réveillent et nous voient. Mais nous nous arrêtâmes sur le perron et levâmes des yeux stupéfaits.

« Du riz dans les cheveux, remarquai-je. Juste ce qui nous manquait.

— Il neige ! » s'exclama Knut.

De grands flocons tombaient doucement du ciel et se déposaient sur les cheveux noirs de Lea. Elle éclata de rire. Puis nous dévalâmes les marches et courûmes nous installer dans la voiture.

Lea tourna la clef, le moteur démarra, elle embraya, et ainsi nous fûmes en route.

« Où on va ? demanda Knut sur la banquette arrière.

— Top secret, répondis-je. Tout ce que je peux dire, c'est que c'est la capitale d'un pays dont nous pouvons franchir la frontière sans avoir besoin de passeport.

— Qu'est-ce qu'on va y faire ?

— On va y habiter. Essayer de se trouver du boulot. Et jouer.

— À quoi on va jouer ?

— À plein de choses. Cache-cache secret, par exemple. Au fait, je me suis souvenu d'une blague. Comment tu fais pour mettre cinq éléphants dans une Coccinelle ?

— Cinq… » murmura-t-il à part soi.

Puis il s'avança entre les sièges.

« Je donne ma langue au chat !

— Deux devant et trois derrière. »

Une seconde de silence. Puis il se laissa retomber sur la banquette arrière en éclatant de rire.

« Alors ?

— Ça commence à venir, Ulf. Mais ce n'était pas une blague.

— Ah ?

— C'était une énigme. »

Il s'endormit avant que nous ayons quitté le Finnmark.

Le jour s'était levé quand nous franchîmes la frontière suédoise. Le paysage monotone commençait à présenter des formes, des couleurs et des montagnes avec un saupoudrage de neige fraîche. Lea fredonnait une chanson qu'elle avait apprise récemment.

« Il y a une pension de famille juste avant Östersund, annonçai-je en feuilletant l'atlas routier que j'avais trouvé dans la boîte à gants. Ça a l'air sympa, on pourrait y demander deux chambres.

— La nuit de noces, fit-elle.

— Quoi, la nuit de noces ?

— C'est ce soir, alors. »

Je ris doucement.

« Oui, c'est sans doute ce soir. Mais dis, on a plein de temps, on n'a pas besoin de précipiter les choses.

— Je ne sais pas de quoi *toi* tu as besoin, mon cher mari, rétorqua-t-elle à mi-voix en vérifiant dans le rétroviseur que Knut dormait toujours. Mais tu sais ce qu'on raconte des læstadiens et de la nuit de noces ?

— Non?»

Elle ne répondit pas. Se contentait de diriger notre voiture et de suivre la route avec un sourire insondable sur les lèvres. Car je crois qu'elle savait de quoi j'avais besoin. Je crois qu'elle le savait déjà quand elle m'avait posé la question l'autre nuit dans la cabane, celle que j'avais laissée sans réponse. Sa question sur ma première réaction à son annonce que j'étais le feu et elle l'air. Car comme l'aurait formulé Knut : tout le monde connaît la réponse à cette énigme.

Le feu a besoin d'air pour exister.

Putain, ce qu'elle est belle.

Alors comment conclure cette histoire?

Je ne sais pas. Mais c'est en tout cas ici que j'arrête mon récit.

Car là, c'est bien. Il se pourrait qu'il se soit ensuite passé des choses qui n'étaient pas tout à fait aussi bien. Mais je ne le sais pas encore. Je sais juste qu'ici et maintenant, c'est parfait, qu'en ce moment précis je suis quelque part où j'ai toujours voulu être. En route et pourtant arrivé.

Que je suis prêt.

Prêt à oser perdre encore une fois.

Note de l'auteur

Les descriptions du Finnmark – territoire relativement inconnu des Norvégiens eux-mêmes – sont en partie tirées de mes propres voyages et de mon séjour dans cette région pendant les années 1970 et au début des années 1980, et en partie des récits sur la culture same d'autres personnes, notamment Øyvind Eggen, qui m'a aimablement permis d'utiliser des extraits de son mémoire sur le læstadianisme.

DU MÊME AUTEUR

Chez Gaïa Éditions

RUE SANS-SOUCI, 2005. Folio Policier n° 480.

ROUGE-GORGE, 2004. Folio Policier n° 450.

LES CAFARDS, 2003. Folio Policier n° 418.

L'HOMME CHAUVE-SOURIS, 2003. Folio Policier n° 366.

Aux Éditions Gallimard

Dans la Série Noire

MACBETH, 2018.

LA SOIF, 2017.

SOLEIL DE NUIT, 2016. Folio Policier n° 863.

LE FILS, 2015. Folio Policier n° 840.

DU SANG SUR LA GLACE, 2015. Folio Policier n° 793.

POLICE, 2014. Folio Policier n° 762.

FANTÔME, 2013. Folio Policier n° 741.

LE LÉOPARD, 2011. Folio Policier n° 659.

CHASSEURS DE TÊTES, 2009. Folio Policier n° 608.

LE BONHOMME DE NEIGE, 2008. Folio Policier n° 575.

LE SAUVEUR, 2007. Folio Policier n° 552.

L'ÉTOILE DU DIABLE, 2006. Folio Policier n° 527.

Dans la collection Folio Policier

L'INSPECTEUR HARRY HOLE. L'intégrale, 1 : L'homme
   chauve-souris – Les cafards, n° 770.

Aux Éditions Bayard Jeunesse

LA POUDRE À PROUT DU PROFESSEUR SÉRAPHIN,
   vol. 1, 2009.

COLLECTION FOLIO POLICIER

Dernières parutions

Composition : APS-Chromostyle
Impression Novoprint
à Barcelone, le 16 août 2018
Dépôt légal : août 2018

ISBN 978-2-07-279756-9/Imprimé en Espagne.